Bonne lecture
Denise Cormier

DEUX CŒURS DANS UNE MÊME VIE

PUBLIÉ PAR L'AUTEURE
AU ÉDITIONS DENISE CORMIER-MOREAU

ISBN 2-9807372-0-8

DÉPÔT LÉGAL – BIBLIOTHÈQUE NATIONALE DU QUÉBEC, 2001
DÉPÔT LÉGAL – BIBLIOTHÈQUE NATIONALE DU CANADA, 2001

Préface

C'est en février 1995 que j'ai fait la connaissance de Denise Cormier. Atteinte d'une défaillance cardiaque très sévère, il ne lui restait plus que quelques mois à vivre.

Malgré sa faiblesse extrême, j'ai vite découvert une jeune dame chaleureuse, sereine et prête au défi le plus grand de son existence, celui de survivre.

Ce défi, elle l'a relevé d'une façon magistrale, nous démontrant une force de caractère à toute épreuve. Sa récompense n'a pas tardé et le trente mars 1995, elle recevait son nouveau cœur; elle avait survécu!

Au fil des semaines qui suivirent, Denise nous a vite communiqué sa joie de vivre, sa bonté et surtout son amour de la vie et des autres.

Elle a reçu un nouveau cœur, mais ceci n'est rien comparé à ce qu'elle donne.

Merci beaucoup Denise,

Guy B. Pelletier, M.D.

Service de cardiologie
Institut de Cardiologie de Montréal

À ma famille et à l'autre.

DEUX CŒURS DANS UNE MÊME VIE
Denise Cormier-Moreau

(Prenez note que ce livre a été écrit en 1996-2000)

L'enfance heureuse

Je suis née dans la ville aux cent clochers, Montréal. J'ai vu le jour par un samedi glacial, le seize décembre 1939. Le lendemain, je faisais mon entrée à l'église, dans la paroisse Sacré-Cœur du quartier Maisonneuve, souvent appelé le Faubourg à la mélasse. Mes parents m'ont donné le nom de Marie-Ivette Denise Cormier.

Léon, mon père, était natif de Coaticook dans les Cantons de l'Est. Son nouveau travail à la *Noranda Coper* l'a fait déménager à Montréal-Est. Il était pensionnaire dans une maison privée et c'est là qu'il a rencontré ma mère, qui portait le nom d'une sainte, Thérèse. Maman était de dix ans l'aînée de mon père, elle travaillait comme femme de ménage pour gagner des sous afin d'aider sa famille à joindre les bouts. Après s'êtres courtisé un certain temps, mon père lui a demandé d'être sa femme. Elle avait quinze ans et lui vingt-cinq ans, on dit que l'amour n'a pas d'âge.

Après s'être mariés, les deux amoureux se sont rendus à Montréal pour s'y installer. Mon père était un bel homme fort, grand aux cheveux châtains et avait les yeux bleus. Ses dents en or m'impressionnaient beaucoup. Il travaillait pour le *Canadien Pacifique* au Port de Montréal, il était responsable du transport des marchandises, de l'exportation et de l'importation. Charmant, fiable et rempli de talents seraient les bons adjectifs pour le décrire. Souvent, après sa journée de travail, il s'arrêtait au marché Bonsecours pour acheter une grosse poule. Maman faisait chauffer l'eau pour ébouillanter le poulet, en le trempant dans l'eau, ses plumes blanches s'enlevaient facilement. Les belles plumes étaient mises de côté et séchées: elles permettaient à maman de nous fabriquer de confortables oreillers. Maman nettoyait la poule et la mettait à cuire. En rentrant dans la maison, au retour de l'école, c'était cette magnifique odeur qui nous accueillait. Nul besoin de demander à maman le menu du soir. Je me trouvais chanceuse, car le poulet était mon repas préféré.

Papa pratiquait cinquante métiers. Il avait tous les outils nécessaires pour faire les diverses réparations de la maisonnée. Heureusement, car l'argent n'était pas abondant. Nous avions souvent des articles à faire réparer: nos lunettes, nos chaussures, nos bottes… C'est papa qui réparait tout! Le passe-temps de mon père était de jouer du violon. Il ne connaissait pas la théorie musicale, mais il jouait talentueusement du violon, de la guitare, du piano et du banjo. J'ai grandi dans une famille de musiciens. Nous étions sept enfants et j'étais la cadette des filles. L'aînée était Marguerite suivie de Lionel, Rolande, Lucille, Laurent et Maurice. Papa transmit son talent de violoniste à Lionel. Maman et Marguerite jouaient de la guitare. Rolande de l'accordéon et Lucille, le banjo. Moi, je dansais sur la musique. C'est ma grand-mère qui m'a montré comment giguer. J'ai toujours aimé danser!

Monsieur Jean Carignan était le grand ami de papa. Il venait pratiquer deux fois par semaine à la maison, car avec notre famille, il jouait les week-ends dans des salles paroissiales.

C'était le bon vieux temps! Une certaine semaine, ce fut différent. Il n'y avait pas eu de pratique musicale, car papa avait été hospitalisé à cause d'une vilaine grippe. Nous étions très attristés et c'était bien ennuyant sans musique. La famille espérait qu'il soit de retour au plus vite, parce que Lionel et Marguerite participaient dans les prochains jours à un concours amateur de jeunes découvertes au poste de radio *CKAC*. Maman, de retour d'une visite à mon père, nous annonça que papa allait avoir son congé le vingt-cinq avril. Quelle belle surprise, c'était la date du concours auquel Margot et Lionel participaient. L'attente terminée, papa était de retour à la maison et nous en étions tous très fiers. Il s'est installé dans son fauteuil et maman lui a dit gentiment d'écouter la radio de *CKAC*. Il avait complètement oublié que c'était cette journée-là que ses deux trésors se produisaient au fameux concours. Nous avons écouté avec émotion leur prestation, c'était bon pour le moral de mon père et ça fêtait son retour à la maison. Marguerite et Lionel ont eu le bonheur d'être les premiers dans la catégorie des meilleurs jeunes musiciens. Ils ont reçu une coupe en argent sur laquelle leurs noms étaient gravés et ils ont reçu beaucoup de félicitations de tout le monde. C'était l'ultime récompense pour tout le travail qu'ils avaient mis à se préparer pour ce concours.

« Maman » fut le premier mot que j'ai prononcé de ma vie! Maman était une grande femme forte de nature, elle avait les joues roses et elle était toujours bien mise. Elle était la fleur qui dégageait de l'amour, le soleil qui nous réchauffait. Son beau sourire en disait long. Elle était toujours prête à rendre des services, les autres passaient toujours avant elle. Elle avait un cœur d'or et de grands talents. Elle nous tricotait des mitaines, des tuques et des foulards. Elle s'assurait que nous restions au chaud, bien emmitouflés pour tout l'hiver. Ses amies venaient nous présenter leurs nouveaux poupons et maman s'empressait de leur tricoter des ensembles de laine. Son amour pour les enfants était remarquable. Bonne couturière, elle pouvait coudre de belles robes pour mes sœurs et des pantalons pour mes frères.

Yvette était la sœur de maman et elle était ma marraine. Mon parrain était Aimé Groulx. Je n'ai malheureusement pas eu la chance de le connaître. J'ai en souvenir une très belle photo de lui. Il était un très bel homme aux yeux bleus. Ma marraine m'a beaucoup gâtée avec toutes sortes de surprises et m'a donné beaucoup d'amour. J'en ai eu pour deux! Elle m'achetait de belles robes, ce qui faisait de moi une petite fille coquette, toujours bien mise de la tête aux pieds. J'étais comblée lorsque je recevais une robe neuve, surtout avec l'étiquette de confection. Étant la cadette, la majorité du temps, je portais des robes qui avaient déjà servies. Les vêtements étaient bien propres malgré les années. À l'âge de quinze ans, j'ai eu la surprise de recevoir un manteau neuf, je peux vous dire que je lui portais une attention toute particulière…

Avec tous les cadeaux reçus de ma marraine, je me devais d'être reconnaissante envers elle. Lorsque tante Ivette était enceinte, surtout à la fin de sa grossesse, je lui rendais visite. Je faisais un peu de ménage dans sa maison. L'état de ses jambes et de ses pieds enflés me chagrinait. Je jouais à l'infirmière, je sentais qu'elle était heureuse de voir que quelqu'un s'occupait d'elle. Je l'aidais à se laver les pieds parce qu'avec sa grosse bedaine, elle avait de la difficulté à les atteindre. Je la taquinais en lui disant: « Ma tante, je pense que vous aurez des jumeaux! » Elle me disait de la laisser tranquille, de ne pas lui faire peur avec mes histoires… On riait de bon cœur. Quelques jours plus tard, elle donnait naissance à une belle grosse fille, qu'elle appela Ginette.

À la maison, les repas étaient toujours servis à la même heure. Toute la famille se retrouvait autour de la table à 17 h. Nous pouvions discuter en attendant de recevoir la bonne soupe que maman nous avait si bien cuisinée. Dès que nous avions terminé notre bol, notre assiette nous était servie. Nous recevions de la viande, qui nous ouvrait l'appétit avec son excellent arôme. Suivaient les éternelles patates et les carottes que maman nous conseillait de manger car elles étaient bonnes pour la santé de nos yeux. Cordon-bleu, maman nous gâtait avec les différents desserts qu'elle cuisinait: du bon sucre à la crème et des poudings au pain et au riz. Les vendredis, le menu était toujours le même, nous mangions du poisson car la religion catholique nous demandait de s'abstenir de viande.

À notre anniversaire, nous avions tous droit à notre gâteau de fête. Maman nous le préparait avec amour et en cachette. Puis le temps des fêtes arrivé, nous désirions avoir notre sapin de Noël le plus tôt possible. Nos parents refusaient, car la chaleur intense dégagée par le poêle Bélanger aurait fait sécher le sapin bien avant Noël. Quelques jours plus tard, maman sortait ses nombreux ornements de Noël pour nous faire décorer la maison et le fameux sapin. En peu de temps, les boîtes recouvraient le plancher du salon. Mes sœurs et moi étions très heureuses de revoir les décorations, elles nous semblaient nouvelles à chaque année. Maman nous trouvait particulièrement énervées et elle était dans l'obligation de nous répéter: « Attention, c'est fragile! » Rolande et Lucille plaçaient par ordre les décorations, car il y avait des règles et méthodes à suivre. Maman demanda à Rolande d'accrocher l'étoile au sommet du sapin et dès qu'elle était en place, mes sœurs entouraient le sapin de guirlandes argentées. Une à une, les boules multicolores étaient suspendues aux branches et ainsi, l'esprit des fêtes était de plus en plus présent dans la demeure! Je participais en plaçant sous l'arbre, à ma façon, mes petits soldats de bois. Nous étions toutes très curieuses de voir ce qui se trouvait à l'intérieur d'une certaine boîte de métal bleu. J'ai alors demandé à maman la permission de l'ouvrir et elle me dit de l'ouvrir délicatement. Le contenu de notre mystérieuse boîte était des statuettes emballées dans du papier de soie; Marie, Joseph et l'enfant Jésus. Je les ai placés moi-même dans la crèche, sauf l'enfant Jésus, nous attendions le jour de Noël, jour de sa naissance pour le déposer sur la paille. Pendant ce temps, Rolande et Lucille étendaient un grand drap blanc au pied du sapin, pour imiter la neige et y déposaient des maisonnettes pour y construire un village. Le sapin terminé, nous étions tous en admiration devant tant de décorations. Margot, pendant ce temps, n'avait pas perdu son temps. Elle avait installé des rubans rouges et verts de papier crêpé aux quatre coins du plafond de la cuisine. Tous ces rubans étaient retenus au centre de la cuisine par deux cloches de même teinte. La maison était enfin prête pour les fêtes.

Nous avions chacun notre bas accroché à la cheminée, ma mère y insérait nos cadeaux. Il contenait une pomme, une orange et quelques bonbons. Nous avions un jouet de grand-maman Laura, ma grand-mère maternelle et une paire de bas de laine pour garder nos pieds au chaud pour le reste de l'hiver.

Durant le temps des fêtes, nous sortions beaucoup. Notre moyen de transport était le tramway et l'autobus avec lesquels nous parcourions les rues de Montréal. Nous regardions avec émerveillement par les fenêtres du tramway les belles vitrines de magasins qui se déroulaient sous nos yeux d'enfants. Nous restions bien assis sur notre siège sans oublier d'être sages. Nous étions à l'écoute du conducteur, qui annonçait tous les arrêts à haute voix. Dans une trentaine de minutes, nous allions transférer du tramway pour l'autobus. Maman, en tirant sur un cordon sonore, avertissait le conducteur que nous voulions descendre au prochain arrêt. Un jour que le transport en commun était plein à craquer, à quelques jours à peine de Noël, ma délicatesse m'a joué un tour! J'ai vu toute ma famille sortir, je ne voulais pas bousculer personne, je suis alors demeurée dans le tramway! Je me retrouvais seule, j'étais tout d'un coup paniquée et je pleurais à chaudes larmes. Ma mère, qui s'était aperçue rapidement que je manquais à l'appel, prit le premier taxi *Diamond* qu'elle a pu, afin de rejoindre le fameux wagon dans lequel je me trouvais! J'ai finalement réussi à m'approcher de la porte et quand celle-ci s'est enfin ouverte, j'ai pu tomber dans les bras de maman. Croyez-moi, ça m'a donné une bonne leçon; celle d'être capable de jouer du coudre et de faire mon chemin dans la société. J'ai vite appris! Ma mère et moi sommes allées rejoindre le reste de la famille pour enfin continuer notre route en direction de Montréal-Est, là où nous allions visiter la parenté.

Roulant dans les rues de Montréal, nous savions que la rue Viau n'était pas très loin. Nous devinions l'approche de la rue par l'odeur! L'odeur des bons biscuits nous envahissait. Viau est l'industrie de biscuits qui était installée sur la rue du même nom. Continuant notre route, notre regard était attiré par le quartier de la base militaire de Longue-Pointe. Les mêmes modèles de maisons, très fades, meublaient le triste paysage. Plus nous roulions vers l'Est, plus nous remarquions que plusieurs autres usines s'y étaient installées. Enfin, nous étions rendus au terminus Georges-IV et tous les passagers devaient y descendre. J'étais une des premières à descendre… Nous prenions un dernier autobus qui allait enfin nous conduire jusqu'à notre destination. Nous pouvions voir les gros réservoirs de pétrole des différentes raffineries, *Shell*, *Esso* ou *Texaco*. J'admirais les frères de maman qui travaillaient pour ces compagnies de produits pétroliers. Ces grandes usines laissaient s'échapper des vapeurs très toxiques. Mes oncles gagnaient bien leur vie, tout en s'empoisonnant la vie. Il paraît que l'argent n'a pas d'odeur!

Après avoir visité la parenté, nous terminions notre parcours chez mes grands-parents, pour le souper de Noël. Dès le souper et la vaisselle terminée, chacun avait son rôle à jouer. Des histoires à raconter, des chansons à répondre, des danses, etc. Mon père chantait le Festin de campagne et nous faisait bien rire. Nous dansions au son de la musique. Tout l'monde balance et puis tout le monde danse… Domino, les femmes ont chaud. Tante Lucia nous avait préparé, pour nous les enfants, des friandises et du bon *fudge* qu'elle avait elle-même fait. Nous avions aussi droit à la fameuse orange *Crush* afin de nous rafraîchir. Nous étions tous très heureux de nous retrouver en famille. C'est comme ça que ça se passait dans le temps des fêtes!

Au cours de l'année, nos sorties préférées en famille étaient d'aller chez nos grands-parents. Grand-mère Laura était une femme d'Église, elle nous parlait souvent de Jésus et de l'Église. Elle était une femme généreuse et souriante. Sa maison représentait pour nous un château, car elle possédait des choses précieuses à nos yeux, des décorations que nous n'avions pas à la maison. Je revois le magnifique buffet aux portes vitrées qui contenait douze couverts de porcelaine ayant pour motif le couple d'amoureux Roméo et Juliette. Sur ce même meuble se trouvait l'horloge de mon grand-père qui nous donnait l'heure juste. Mes grands-parents habitaient la campagne, très différente de l'asphalte du plateau Mont-Royal. À toutes nos visites chez grand-maman, elle nous préparait plusieurs bons mets. Le bœuf à la mode de Laura était mon met préféré. Que dire de ses tartes et ses gâteaux glacés… Ils étaient délicieux!

Elle aimait son travail de maison et elle s'était imposée toute une discipline de vie. La journée de la lessive était le lundi et en cas de pluie, elle était remise au lendemain. Je me souviens qu'elle s'était fabriquée un poêle en blocs de ciment sur son terrain. Elle y mettait du bois qu'elle allumait et y faisait chauffer son eau dans une énorme cuvette pour y faire sa lessive. Une chance que le terrain était d'une bonne dimension, ça permettait à ses chats de s'éloigner du feu! De la maison de grand-mère, nous apercevions le chemin de fer. Nous aimions bien entendre siffler le train. Au coucher, nous sentions le lit sautiller, ça nous amusait bien. Dans le temps, nous n'avions pas besoin de placer de vingt-cinq sous dans une machine pour avoir des bonnes vibrations… C'était gratuit!

Grand-papa Josepha travaillait pour la ville de Montréal-Est aux travaux publics. Sa journée commençait à cinq heures le matin, il était responsable des chevaux. Grand-papa était toujours calme, il était l'ami de tous ceux qu'il rencontrait. Il aimait bien terminer sa journée en se berçant et en fumant sa pipe qui dégageait un bon arôme. Il avait surnommé grand-maman: « La pomme », il aimait bien la taquiner. Il me récompensait parfois en me donnant cinq sous. « Denise, chante-moi une petite chanson! » Sans malice, il me pinçait l'arrière des genoux pour me faire choquer, ça fonctionnait à tout coup, on peut dire qu'il savait se faire aimer. À tous les dimanches, après le repas du midi, grand-père se rendait avec ses amis au Parc Richelieu, à l'autre bout de l'île. C'était le grand spectacle des courses de chevaux. Il gageait parfois. Au retour à la maison, ma grand-mère pouvait deviner, selon l'air de son mari, s'il avait gagné ou perdu de l'argent. C'était sa seule sortie, il se permettait de marchander. Il portait bien son nom... Marchand!

La journée du souvenir

J'ai vécu ma première peine d'enfant lorsque maman a appris le décès de son frère qui combattait à la guerre 1939-1945. Maman a tellement pleuré d'avoir perdu mon oncle Hervé. Il a été atteint d'une balle à la tête, sur le champ de bataille, transportant le courrier à motocyclette. On se remémorait mon oncle chaque année, lors de la journée du Souvenir, le onzième jour de novembre. Durant plusieurs années, ma grand-mère était la représentante des mères des combattants morts à la guerre. La cérémonie se déroulait devant l'Hôtel de Ville. De nombreuses couronnes de coquelicots étaient déposées sur le lieu de recueillement. Les anciens combattants assistaient aussi à ce rassemblement émouvant. La Légion d'honneurs jouait avec leurs cornemuses le chant de la Patrie *O Canada*. Je trouvais très poignant de voir les combattants avec leurs rides se remémorer ces tristes événements. À la fin de la cérémonie, dans un grand silence, vingt et un coups de canon se faisaient entendre, signifiant que nous pouvions désormais vivre en paix. Pour clôturer le tout, une messe solennelle. Grand-maman avait toujours gardé précieusement les médailles de son garçon Hervé, mort à la guerre.

Maman était enceinte du sixième enfant. Elle n'était pas trop en forme pour vivre toute cette tristesse qui s'abattait sur la famille. J'avais le cœur gros de voir ma mère si accablée. Ma tante Ivette m'avait donné une boîte de gommes à mâcher *Chiclett's* afin de me consoler. Pour me changer les idées, mon frère Lionel m'habillait en garçon. Ça nous amusait pendant des heures. Je frappais à la porte et maman ouvrait en disant: « Bonjour monsieur, que puis-je pour vous? » Ce fou rire nous permettait de relaxer un peu. Lionel a été comblé lorsque maman a eu son bébé. C'était garçon qu'elle a nommé Laurent. Quelques années plus tard, elle eut un autre garçon, Maurice. Maman a fait son devoir!

Nous sommes déménagés sur le plateau Mont-Royal, au 172, rue Mont-Royal, au-dessus du magasin de chaussures *Clark*. Sur notre rue, désormais populaire, il y avait plusieurs magasins, merceries pour hommes, une petite pharmacie et bien sûr, le restaurant du coin. À quelques pas de chez moi, il y avait la *Binerie*. Le chef cuisinait de bonnes fèves au lard, ce commerce existe encore aujourd'hui. Ce que j'aimais le moins, c'était qu'au coin de notre rue se trouvait une taverne… Mon père en était un très bon client.

Nous étions bien chanceux d'avoir le mont Royal face à nous. Nous avions toujours hâte au samedi. L'hiver, après avoir fait chacune nos travaux ménagers et que la maison reluisait, nous allions glisser à la montagne. Papa nous avait fabriqué une grosse traîne avec de bons skis. Ça nous permettait de descendre les pentes enneigées à toute allure. Nous étions heureux de pouvoir s'amuser ainsi. Faire des bonhommes de neige et des tunnels dans les gros bancs de neige. Marguerite, ma sœur aînée, assurait notre sécurité. Le retour à la maison était d'une durée d'environ vingt minutes. Nous devions respecter l'heure de retour. Le temps passait toujours trop vite. Nous avions hâte d'apercevoir la grande annonce du magasin *Clark*. Elle nous encourageait en nous annonçant que nous allions être à la maison bientôt avec nos belles joues rouges. Pendant notre absence, maman travaillait pour une dame juive qui possédait une mercerie. Maman pouvait, de cette façon, pratiquer son anglais et madame, son français. À l'occasion, nous recevions des petites gâteries de cette dame: biscuits et bonbons. De retour à la maison, maman nous attendait avec une excellente soupe, ça tombait bien parce que nous avions l'estomac vide.

Le soir, de notre chambre, nous apercevions la grande croix du mont Royal illuminée. Nous pouvions aussi voir le clair de lune et les belles étoiles. La chambre des filles était assez grande. Elle comprenait deux lits doubles et au milieu, un bureau à quatre tiroirs. Toutes avaient son tiroir personnel. Très jeunes, nous avons appris à partager. À l'heure du dodo, il y en avait toujours une qui parlait. Maman nous lançait: « Fermez-vous, c'est le temps de dormir! » Lucille et moi étions de véritables commères. Avant de s'endormir, nous repassions en revue notre journée. Nous parlions de l'hiver qui était toujours trop long. Maman m'amenait de temps en temps faire l'épicerie avec elle et lorsque j'apercevais les ouvriers en cols bleus en train de briser, à l'aide d'un grand pic, la glace qui restait dans la rue et sur les trottoirs, je pouvais commencer à croire que le printemps arriverait bientôt.

À Pâques, les chevaux déambulaient dans les rues, décorés de fleurs de papier crêpé bleu, jaune, vert et orange. Nous devions porter une attention particulière aux pommes de route que les chevaux semaient le long de leur parcours. Dans les boucheries, les bouchers décoraient les jambons de fleurs multicolores. Mon cœur d'enfant s'émerveillait de voir les lapins de chocolat, les œufs et toutes les friandises préparées spécialement pour fêter Pâques. Mais, avant toutes ces gâteries, nous allions à la messe. Nous écoutions l'orgue jouer, l'église était toujours remplie à pleine capacité. Ensuite, nous nous rendions à la maison pour dîner. À cette époque, maman préparait un gros jambon à l'ananas. Nous recevions chacun un œuf en chocolat. Mon frère Lionel avait ses petits poussins jaunes installés dans une boîte de carton sur le bord du four. Maman faisait tout ce qu'elle pouvait pour que nous débordions de bonheur. Et en plus, dehors, le beau temps était revenu! J'étais si fière de pouvoir enfin marcher librement en souliers vernis et avec mon chapeau de paille... Ma robe et mes bas étaient toujours de la même teinte, c'était un petit bonheur que je me procurais. Jeune, j'ai appris à me satisfaire de peu.

Le printemps annonçait le grand nettoyage, les fenêtres étaient libérées de leurs doubles fenêtres et décorées de leurs persiennes. Maman aimait le changement, elle peinturait, tapissait et elle bricolait elle-même des arrangements de fleurs de plastique. La maison était des plus accueillante pour la nouvelle saison.

L'été

L'été a toujours été la plus belle saison de l'année. Notre campagne à nous, Montréalais, était la montagne. Les fleurs des champs, les pissenlits, la pelouse et à sa base, l'impressionnant monument de Jacques-Cartier. Au bas de ce monument étaient installés deux gros lions et quelques marches qui nous permettaient de prendre des photos de famille. C'est à cet endroit que nous avons pris un cliché de toute notre famille.

Tout près de notre terrain de jeux du Parc Jeanne-Mance se trouvait un tunnel qui nous permettait de traverser l'avenue du Parc sans danger. Nous prenions plaisir à crier le plus fort possible dans le tunnel... Puis nous écoutions l'écho nous répondre. Nous faisions nos vocalises. Pour nous, c'était la fête! Rendus du côté du mont Royal, nous marchions dans les sentiers, là ou des amoureux étaient assis sur des bancs. Les policiers montés sur leurs chevaux surveillaient en se promenant. Au nord de la montagne se trouvait le dôme de l'Oratoire Saint-Joseph et l'Université de Montréal, tandis qu'au sud se trouvait le centre-ville.

Les copains de mes sœurs organisaient des parties de balle molle. Nous allions les voir jouer et les encouragions avec nos cris et nos applaudissements. Étant la cadette, je suivais mes sœurs partout. Le dimanche, selon la température, nous allions toute la famille avec des amis se baigner à l'Île Bizarre. Nous faisions le trajet assis sur nos coussins dans la boîte d'un camion. Nous allions pique-niquer. Nous apportions des boîtes remplies de sandwiches, des jus, des gâteaux et de grandes couvertures pour s'installer sur la plage. Pendant la randonnée, nous chantions en l'honneur de la belle vie que nous menions tous ensemble. En pleine ville, certaines journées étaient d'une chaleur accablante. Nous en profitions pour se rafraîchir en dégustant un cornet à trois boules dont je choisissais les saveurs en fonctions des couleurs de ma robe... J'étais très coquette! Cette sortie était notre récompense pour notre semaine.

Nouvelle étape

J'avais maintenant l'âge de fréquenter la petite école. Maman, le cœur gros, marchait près de moi en direction de mon premier établissement scolaire. L'École Sainte-Eulalie était une énorme bâtisse, située sur la rue Drolet au coin de la rue Rachel, dans la paroisse Saint-Jean-Baptiste. C'étaient les religieuses du Saint-Nom de Jésus et de Marie qui y enseignaient, elles étaient de bonnes institutrices et elles travaillaient avec amour. Dès la première année, j'ai aimé mes professeures et les camarades de classe étaient gentilles avec moi.

Nous étions trente élèves dans mon groupe et nous avions une excellente discipline. Je n'avais pas de difficulté à suivre les ordres. Nous avions toutes le même costume: l'uniforme noir à manches longues avec le collet rigide et nous portions des chaussures noires et des bas beiges. J'avais les cheveux coupés court, une coupe en balai et parfois, je portais une queue de chaque côté de la tête, attachée par des rubans blancs.

Les mois passaient rapidement. Nous étions déjà rendus à nous préparer pour notre première communion. Nous apprenions le cantique: « C'est le grand jour, bientôt l'ange, mon frère partagera son banquet avec moi. » La joie m'envahissait et en moi, j'entendais: « Seigneur Jésus, je crois en toi! »

Pour nous préparer, nous avions de bons cours de catéchisme. J'ai toujours aimé entendre parler de Dieu. Je préparais mon cœur d'enfant à recevoir le petit Jésus. Maman, d'un œil attentif, examinait ma robe de première communion, car j'étais la quatrième à la porter. La robe semblait toujours être neuve. Maman avait entreposé la robe dans du papier de soie bleu, ce qui lui avait permis de conserver sa blancheur éclatante. C'était une magnifique robe à manches longues garnie d'un boléro de dentelle et de minuscules perles satinées. Coiffée d'un voile blanc et d'une couronne de roses blanches, je me voyais déjà comme une petite mariée.

Le 3 mai 1946 fut une journée très importante. Le soleil radieux traversait les vitraux de notre église. Les paroissiens étaient attentifs et à l'écoute des grandes orgues, le son était très beau et la magie s'installait dans l'église. Pour l'ouverture de la cérémonie, nous devions avancer dans l'allée centrale, chacune accompagnées d'un garçon. Le mien avait les cheveux noirs frisés. Nous étions trois cents garçons et filles qui s'approchaient de l'autel en chantant notre cantique avec émotion. Lors de la cérémonie, j'ai reçu ma première communion. J'en étais très fière, car je pouvais maintenant parler à Jésus qui était dans mon cœur. « Jésus, bénissez mes parents, mes frères et mes sœurs. Je vous remercie pour tout ce que vous me donnez. »

La cérémonie terminée, j'ai rejoint ma famille, mes grands-parents, mes tantes, mes oncles, mes cousins et mes cousines. C'était une superbe fête de famille! En arrivant à la maison, la table était bien décorée, c'était l'œuvre de maman. Le repas était délicieux et le gâteau était garni d'un petit autel avec une jeune communiante. Ce dernier était placé au centre de la table. J'ai reçu plusieurs cadeaux, ils étaient tous bien emballés: de belles cartes contenant des *piastres*, un chapelet et un cadre de Sainte-Thérèse de l'enfant Jésus. J'avais passé des moments fantastiques et le soir, je remerciais le petit Jésus pour cette formidable journée.

Le lendemain, maman a décidé de me faire photographier. Nous avons pris rendez-vous chez *Photos Modèles* de la rue Sainte-Catherine. Pour le cliché, je devais m'age-nouiller à un prie-Dieu. Devant moi se trouvait une immense reproduction, grandeur nature, du Seigneur me donnant la communion. À mes côtés était placée une corbeille pleine de lys blancs. Les photos prises étaient une réussite, j'en possède encore une en souvenir.

À tous les dimanches, je devais me rendre dans la cour d'école prendre mon rang avec les élèves de ma classe afin de pouvoir assister à la messe dite spécialement pour les jeunes. Nous y faisions des activités spécialement conçues pour nous. Par exemple en juin, nous avions la procession de la fête de Dieu. La ligue du Sacré-Cœur, les enfants de Marie et les dames de la bonne Sainte-Anne étaient tous rassemblés. Nous marchions dans les rues avec nos banderoles et nos clairons. Nous chantions en chœur de beaux cantiques et avec cette belle cérémonie, nous prouvions notre foi envers Dieu. Le long des trottoirs, les gens nous regardaient défiler. J'aimais cette manifestation de prières.

Ma sœur Lucille

De deux ans mon aînée, ma sœur Lucille était ma confidente et toutes les deux, nous partagions le même lit. Chaque soir, nous chuchotions quelques minutes avant de s'endormir. Nous étions très complices et nous adorions échanger nos idées. Les vacances d'été s'achevaient déjà, mais un autre drame nous attendait. Lucille a décidé, par une belle journée, d'aller rendre visite à mes grands-parents qui demeuraient à Montréal-Est. Arrivée au terminus, elle est descendue de l'autobus. Le feu de circulation étant vert, elle s'est engagée à traversé la rue sans savoir ce qui l'attendait. Un chauffeur maladroit l'a frappée violemment et l'a traînée sur des centaines de pieds. Sa mort fut immédiate.

Elle avait quinze ans et elle était resplendissante de joie de vivre. C'était bien fini. Ce n'était pas juste! Je me sentais tellement seule, j'avais l'impression d'avoir perdu mon bras droit. La famille au complet était foudroyée. Notre Lucille n'était plus, quel malheur, nous étions inconsolables. Maman voulait que je sois en sécurité. Elle m'a inscrit au pensionnat Marie-Rose. J'y suis entrée immédiatement après les funérailles. En très peu de temps, ma vie avait été transformée du tout au tout.

Entrée au pensionnat

J'étais heureuse, car je retrouvais les enseignantes de la petite école que j'avais tant aimées. J'étais dans la même communauté religieuse, je ne me sentais pas trop dépaysée. En plus, j'avais une cousine religieuse qui s'occupait du réfectoire, Sœur Fernand-Adrier-Germaine-Marchand. Son père Adrien était le frère de mon grand-père Marchand. Vu le prix élevé de la pension, je devais travailler comme serveuse au réfectoire. La grande salle à manger comprenait quinze tables de douze élèves. Elles étaient bien présentées et décorées avec goût par Sœur Fernand-Adrien. Une de mes amies était aussi employée pour aider Sœur Fernand-Adrien à préparer les tables. Parfois la bonne sœur critiquait, elle trouvait que les morceaux de beurre préparés par Rose-Yvonne étaient trop gros. Rose-Yvonne lui répondait: « Chez-nous, la livre de beurre est au grand complet dans l'assiette! » Tout le monde riait, même la supérieure...

Nous étions un groupe de six à être employé. Nous formions une famille avec qui j'aimais rire et m'amuser tout en travaillant. Le travail ne m'a jamais fait peur. Je ne suis pas venue au monde pour me regarder le nombril! Nous prenions notre repas avant les pensionnaires afin de pouvoir les servir par la suite. Sourire aux lèvres, vêtue d'un tablier blanc et d'une mini-coiffe, j'étais heureuse tout en prenant la responsabilité de trois tables de douze personnes. Primo, la soupe était servie, suivi des plats de service: la viande, les patates, les légumes et pour compléter, un bon dessert. Toute la durée du repas, nous devions remplacer les denrées manquantes. Je n'ai jamais calculé mes pas, c'était un excellent exercice pour moi qui étais un peu grassouillette... L'atmosphère était très joyeuse et vivante, mais à la demande de la maîtresse de discipline, le dernier quart d'heure se passait en silence. Les repas ne pouvaient pas s'éterniser, le temps qui lui était alloué passait rapidement! Les élèves avaient une récréation avant la reprise des cours. Je ramassais les plats terminés et je les déposais sur des charrettes à quatre étages. Arrivées à la cuisine, nous les débarrassions dans un énorme évier pour laver le tout à la main. Nous devions laver tous les plats de service et les chaudrons. Nous n'avions pas de temps à perdre! Heureusement que chaque pensionnaire lavait son couvert, ça nous aidait beaucoup.

Un midi, nous avions un repas de ragoût de boulettes accompagné de betteraves marinées. Le gros bocal de betteraves se trouvait juste sur le coin d'une tablette dans la cuisine. Je l'ai accroché accidentellement et l'on peut deviner la suite. J'ai eu droit à tout un dégât! Les tuiles blanches étaient maintenant d'un rouge flamboyant, comme ma figure. C'était loin d'être drôle, mais j'avais tout de même un petit sourire en coin. Ma cousine pour qui je travaillais, Sœur Fernand-Adrien, a été sévère envers moi. J'ai été réprimandée sous le regard de mes consœurs de travail. Pas d'excuses, il n'y avait pas de parenté en affaires. J'ai vite ramassé et lavé le plancher, je me suis promis de faire plus attention à l'avenir. Nous devions remettre tout en ordre pour le prochain repas. Je vous dis que la récréation a été plutôt courte!

Malgré mon air sérieux, j'aimais rire et jouer des tours. Il fallait que je me défoule de temps en temps. Dès que j'avais un peu d'avance dans mon travail, je montais sur la grosse charrette et je dansais, je me donnais en spectacle. Mes amies riaient de me voir faire le bouffon.

Un jour, il m'est venue une idée farfelue. Les religieuses faisaient elles-mêmes leur savon, c'était une autre bonne occasion de m'amuser un peu… La couleur et la texture du savon ressemblaient en tous points au sucre d'érable… J'ai décidé de jouer un tour à une de mes amies. J'ai coupé le savon en petits morceaux. Les pièces ressemblaient à du sucre à la crème… Malheureusement pas le goût… L'illusion était parfaite! J'ai placé des morceaux dans une tasse que j'ai renversée sur une soucoupe. Cette tasse était réservée à mon amie. Le temps du dessert arrivé, cette dernière a pris sa tasse et a aperçu les morceaux de sucre. Toute fière, elle en a pris une bouchée et elle s'est rendue compte que c'était du savon. Elle s'est mise à hurler pendant notre moment de silence obligatoire. La maîtresse de discipline était mécontente, l'heure était grave, elle a demandé: « C'est qui? » Je n'ai pas pu m'en cacher, j'ai avoué immédiatement que j'étais la farceuse. Je n'ai pas eu droit à mon congé de fin de semaine. En plus, j'ai dû laver avec le savon/sucre, mes vêtements à la main. La blagueuse a eu sa leçon.

Le travail terminé, nous sortions prendre un peu l'air. L'hiver, nous dévalions une glissoire à toute allure, assises sur des couvercles de métal. À la patinoire, une généreuse amie m'a prêté ses patins. Je pouvais m'amuser, non sans problèmes, avec l'aide d'une vadrouille pour m'appuyer. Je tentais de trouver mon équilibre et une fois de plus, je me donnais en spectacle! Toutes s'amusaient beaucoup. Malgré mon bon vouloir et mes nombreuses tentatives, je n'ai jamais su patiner. Quand le printemps arrivait, j'étais la première à chausser mes patins à roulettes. J'étais heureuse de montrer mon savoir-faire dans la cour d'école. Contrairement à mes prouesses hivernales, j'étais vraiment habile en patin à roulettes. Le son de la cloche d'école arrêtait mes instants de bonheur. Je devais retourner en classe, le temps passait bien vite. J'aimais aussi jouer au badminton. Mon élan était parfois si fort que je projetais le moineau sur la galerie des religieuses. Il y avait une vieille religieuse qui tout en se berçant nous regardait faire. Un jour, je lui ai demandé de nous remettre le moineau tombé à ses pieds. Elle nous a dit sérieusement: « Laissez cette petite bête tranquille! » Nous ne pouvions pas terminer notre partie tellement on riait! La sœur n'avait jamais compris notre requête. Elle croyait vraiment que nous frappions sur un véritable oiseau!

J'avais toujours hâte d'aller à mon cours d'art culinaire. Nous y apprenions à cuisiner des bons plats santé. J'avais un bon coup de fourchette! Nous sommes tous remplis de talents, il suffit de les développer. Moi, j'avais découvert mon talent de cuisinière.

Vivre au pensionnat me plaisait, j'étais amie avec toutes les filles. Les grands corridors m'émerveillaient, les murs étaient décorés de cadres énormes nous présentant les graduées des années passées. À l'étage des parloirs, il y avait une horloge grand-père qui musicalement nous donnait l'heure. Même l'odeur de l'institution semblait unique, on la trouvait nulle part ailleurs. C'était tellement calme. J'y ai appris à partager et à aider les autres. Avec mon sourire et mes drôleries, celles qui s'ennuyaient oubliaient vite leurs soucis et je leur disais: « Souriez, vous m'inquiétez! »

Le temps qui me tenait le plus à cœur était le temps des études. Je ne trouvais pas ça facile, j'étudiais en lettres et sciences. Malgré tous mes efforts, je n'avais pas de bons résultats. Le soir, je me couchais angoissée de ne pas mieux réussir. Je demandais à mon chum d'en haut de m'aider à passer au travers de mes travaux et il m'écoutait, j'arrivais toujours à tout terminer, mais en y mettant beaucoup d'effort. Un jour, j'ai appris que la chef cuisinière Sœur Amanda-Maria était à la recherche d'un aide cuisinière. Elle rencontra ma cousine Sœur Fernand-Adrien afin de se faire conseiller. Immédiatement, ma cousine a pensé à moi. Avec maman et la Sœur supérieure, nous avions discuté et finalement, je me suis retrouvée dans la cuisine, avec mon nouveau rôle. Sœur Amanda m'a reçue les bras ouverts. Elle me connaissait bien, ce qui me rendait à l'aise. Nous avions à préparer les repas pour les religieuses enseignantes et les pensionnaires. Nous étions quatre employées. Sœur Rose-Gilbert était la deuxième cuisinière, elle m'a donné une bonne formation. Elle m'expliquait la recette et je me mettais à l'œuvre. La journée débutait vers sept heures. Je commençais par préparer le café qui, en peu de temps, nous faisait sentir son arôme. Les pruneaux et les patates étaient sur le poêle. Le bain-marie chauffait le gruau. Il ne fallait pas avoir les deux pieds dans la même bottine! Le déjeuner terminé, nous commencions à préparer le dîner. Je m'occupais à faire cuire sur la plaque chauffante, les soixante-dix tranches de bifteck qui allaient être servies aux religieuses. Nous débitions les quartiers de bœufs et les os étaient gardés et bouillis pour faire des excellents bouillons pour les soupes. Le gras en surplus était conservé pour la fabrication future de la pâte à tartes. Rien ne se perdait! La soupe était préparée dans un gros chaudron électrique et ce dernier était installé sur une base de métal. Les pommes de terre étaient pelées une journée à l'avance et déposées dans des chaudières remplies d'eau froide. On y ajoutait une poudre pour empêcher que les patates ne noircissent. Nous servions des légumes à chaque repas et de la viande qui mijotait toute la matinée sur le gros poêle à l'huile.

L'ambiance était plutôt chaude! L'équipe prenait son travail à cœur et tout se déroulait comme prévu.

J'ai débuté ma carrière de cuisinière en préparant des desserts. C'était sérieux et il n'y avait pas de place à l'erreur. Je confectionnais trente tartes pour un seul repas. Heureusement, j'avais un peu d'aide. Avec le temps et de la pratique, la croûte était prête en un tour de main. L'expérience commençait à se faire sentir. On devait cuire toutes ces tartes dans d'énormes fours. Les journées étaient très occupées et nous devions être productives. La veille d'une fête, nous devions préparer des paniers faits de pamplemousses. Nous en confectionnions un pour chacune des religieuses jusqu'à tard dans la soirée. J'étais fière d'apprendre ces techniques culinaires et toutes ces belles fantaisies. J'ai aussi appris des bons trucs. Par exemple, lorsque le céleri a ramolli, on peut le tremper dans de l'eau froide avec un morceau de patate crue et ce dernier finit par se raffermir. Aussi, quand la cassonade a durci dans son sac, on peut y ajouter une orange et la cassonade retrouve la bonne texture. La cuisine, c'est de l'art!

J'aimais travailler à la cuisine, j'étais dans mon élément. La semaine terminée, je montais au bureau de « Sœur économe » afin de recevoir mon salaire. Je recevais un beau vingt dollars. En plus de cet argent, j'étais nourrie, couchée et j'avais un téléphone à ma disposition. J'étais heureuse de donner une partie de mon salaire à maman, ça l'aidait à boucler son budget. Je me gardais juste assez d'argent pour mes achats personnels.

Les religieuses m'aimaient beaucoup. Elles me le disaient souvent: « Denise, tu ferais une bonne religieuse. Dévouée comme tu es... » Je ne prenais pas ça au sérieux, car les fins de semaine, j'aimais rendre visite à ma grand-mère et à un de ses pensionnaires. Elle tenait une maison de pension, dans laquelle demeurait un beau blond que je trouvais de mon goût. Lui ne semblait pas me voir, mais j'avais quand même le plaisir et le bonheur de le voir à l'heure des repas. J'étais précoce pour mon âge. J'avais quinze ans et je pensais déjà à mon avenir. Je ne voulais pas prendre les mauvaises décisions. Je croyais qu'il serait parfait pour moi de devenir religieuse, car de voir mes parents se séparer m'avait énormément attristée et je ne voulais certainement pas revivre cette même déception en amour. J'avais qu'une idée en tête, je priais afin que mes parents reviennent vivre ensemble. Je songeais aussi... « Si je me marie et que ça ne fonctionne pas, je n'aurai pas à me reprocher de ne pas être allée en communauté! »

J'avais mon directeur de conscience: l'Abbé Ouellette de la paroisse Saint-Jean-Baptiste. Je pris rendez-vous avec lui et nous avons discuté pendant de longues heures sur les différentes possibilités qui s'offraient à moi. Je devais prendre une décision. J'avais toujours le dernier mot et j'ai choisi de devenir une religieuse! Alléluia!

Première amitié de jeunesse

Entre-temps, je continuais à rendre visite à mes grands-parents, ça me donnait l'occasion de revoir mon beau blond. Par une belle soirée d'été, mon désir s'est réalisé. Mon prince charmant m'a invitée à sortir avec lui. Nous avions été sur le bord de l'eau main dans la main. En arrivant au point d'observation, nous avons pris place sur un banc. Nous admirions les bateaux qui se déplaçaient lentement sur le fleuve Saint-Laurent. Sous ce clair de lune, je me sentais bien auprès de lui. Je ne parlais pas beaucoup, depuis longtemps j'attendais cette invitation. Son sourire me plaisait, il était très charmeur.

Ma grande demande

Mes parents ont été très surpris de mon intention d'entrer chez les religieuses. Moi qui était un boute-en-train, qui aimait taquiner, qui jouait des tours et qui était un vrai bouffon-né! Moi, leur petite Denise! Le ciel venait de leur tomber sur la tête… L'Abbé Ouellette me connaissait bien et pouvait me préparer une bonne lettre de références pour mon entrée en communauté religieuse. Il me fallait aussi y joindre une lettre de mon médecin concernant mon état de santé. Il n'y a eu aucun problème du côté bureaucratique. Ma demande d'entrée au postulat fut envoyée. Quelques semaines plus tard, je recevais la réponse de Mère générale. J'étais acceptée comme postulante chez les Sœurs des Saints Noms de Jésus et de Marie à Outremont, sur le boulevard Mont-Royal. Heureuse d'avoir reçu ma réponse, je me suis empressée d'annoncer la bonne nouvelle à mes grands-parents, ils étaient très fiers. J'avais revu le beau Benoît, mon prince charmant. Je lui ai expliqué que j'étais acceptée au noviciat. Déçu, il m'a dit que nous n'étions pas faits l'un pour l'autre et il m'embrassa sur une joue. Il m'avait souhaité tout le bonheur espéré. « Sois heureuse Denise! »

Le temps de préparer mon trousseau était arrivé. Mes amies religieuses du pensionnat m'aidaient en recouvrant des boîtes de carton avec du papier d'emballage de couleur bleu. Chaque boîte était étiquetée selon son contenant: chaussures, bas, mouchoirs et gilets. Mes grands-parents m'ont offert une grosse valise pour mettre le tout. Mon trousseau était maintenant complet, j'en étais très heureuse. Ma journée de gloire où ma famille m'accompagnerait dans ma vocation était proche. Accompagnée de mes frères, sœurs et de maman, je suis montée par l'entrée principale. Le cœur palpitant, j'entrais dans un nouveau monde. Nous étions arrivés devant cette énorme maison de pierres et les portes en chêne étaient munies d'impressionantes poignées cuivrées. Les hautes fenêtres étaient habillées de légers rideaux blancs. Nous sommes entrés dans le parloir. Il était rempli de magnifiques meubles anciens, tout reluisait de propreté. Installée au mur, il y avait une immense photographie encadrée de la fondatrice Mère Marie-Rose. Nous étions attendus par la Supérieure générale et nous avons reçu le mot de bienvenue. J'ai laissé ma famille quelques instants, l'heure du détachement était arrivée. Ma famille était entrée dans une salle de la communauté dans laquelle se dérouleraient les offices religieux. Dans une salle voisine, les autres filles et moi avons changé de vêtements pour s'habiller en postulante: la chemise faite d'un coton-farine, les culottes sans fond, la robe noire en étoffe épaisse, la collerette, les bas ainsi que les souliers noirs. Nous portions aussi un voile noir fait de fins fils entouré d'une bande élastique. À mon arrivée, j'étais coiffée d'une belle tresse, mais il fallait maintenant la couper.

J'ai entendu le grincement des ciseaux qui la coupait... C'était le renoncement de ma jeunesse. J'ai gardé ma tresse pour la remettre à ma mère. Pour la première fois de ma vie, mes cheveux n'étaient plus importants!

Nous formions un groupe de sept. Nous allions devenir, sous peu, des religieuses coadjutrices: ce qui signifie que nous allions exécuter des travaux pour la communauté. Les autres, au nombre de cent, étaient reléguées à l'enseignement. La cérémonie commençait enfin. Ensemble, nous avancions vers la chapelle. Les orgues se faisaient entendre et le chant des religieuses nous invitait à s'approcher. Une à une, nous avons récité la formule de soumission: « Dans la communauté des Sœurs des Saints Noms de Jésus et de Marie, que Dieu me soit en aide... » Nous étions maintenant des postulantes. Nous pouvions retourner voir nos familles présentes pour l'événement et recevoir leurs félicitations. J'ai appris très rapidement que je n'aurais qu'une heure de parloir par mois! Pour nous initier à la vie religieuse, nous avions une novice appelée « notre ange » Sœur Ange-Bernadette nous donnait l'horaire de la journée ainsi que toutes les directives néces-saires à la réalisation de notre travail. Sœur supérieure m'avait expliqué que ma tâche était de travailler à la cuisine de l'infirmerie. Je me sentais privilégiée, car ma chef cuisinière était Sœur Théothime-Marie, la sœur de Sœur Amanda avec qui j'avais déjà travaillé au pensionnat Marie-Rose. Vu mon expérience en cuisine, j'avais confiance en moi.

J'ai vite appris l'horaire d'une journée de vie religieuse... Nous avions beaucoup à faire et notre journée débutait à cinq heures. Réveillée par le son d'une cloche, nous devions faire notre toilette et filer à la messe. J'y ressentais une grande paix intérieure, le silence m'apportait le calme. La messe terminée, nous descendions à la cuisine afin de prendre tout ce dont nous avions besoin pour déjeuner. Le tout était déposé sur une desserte et transporté au réfectoire. Nous pouvions enfin prendre notre déjeuner.

À la cuisine de l'infirmerie, nous divisions les plats préparés afin que chaque patiente reçoive son assiette. De plus, nous devions composer des menus spéciaux, car on comptait sept étages de sœurs malades. Nous avions beaucoup de travail et le manque d'énergie se faisait parfois sentir. Heureusement que j'avais mes moments de prière et de méditation, ils me permettaient de me reposer tout en priant.

Chaque mardi, nous allions au confessionnal. Je n'aimais pas cette journée, car je devais évider quarante poulets avant de me rendre au confessionnal. Il me semblait que je sentais le poulet pour tout le reste de la journée. Ma confession n'était jamais très longue, je n'avais pas grand-chose à déclarer! Faisant mon examen de conscience, je me demandais si c'était un manque d'amour du Seigneur que de parler pendant les moments de silence? J'ai toujours eu la jasette facile. J'avais par contre la chance de travailler avec un sourd-muet, ce qui me permettait de me fermer un peu la boîte.

Un matin, j'ai reçu l'ordre de préparer le *Jello* que je mis dans de grandes lèchefrites. Aussitôt pris, je l'ai découpé en morceaux, mais ce matin-là, j'avais la tête ailleurs. J'ai choisi les mauvaises lèchefrites, oubliant que leurs contenus étaient toujours liquides... Et « splash », imaginez le dégât. Tout le *Jello* se retrouva sur le plancher. L'erreur était humaine, mais je vous jure que ça ne devait pas se produire trop souvent!

Après six mois passé à être postulante, je m'interrogeais au sujet de ma vocation. Il me semblait qu'il me manquait de sérieux. Je voulais être parfaite, mais j'étais loin de l'être. J'en ai parlé à mère supérieure qui m'a dit: « C'est le démon qui vous donne ses tentations, vous pouvez passer au travers! » Je crois que mon problème numéro un était de m'ennuyer de ma famille.

Le temps était venu d'être reçue novice. J'ai pris le risque d'accepter en me disant que j'allais avoir trois années de réflexion avant de prononcer mes vœux de pauvreté, de chasteté et d'obéissance. J'ai été acceptée comme novice et je laissais maintenant la vie suivre son cours. On me disait que j'étais destinée à faire une bonne sœur et que j'avais un grand sens du dévouement. Il fallait que je me trouve mon nom de religieuse. J'ai pensé utiliser le nom de Marguerite, le nom de ma sœur aînée et celui de Lucille, mon autre sœur que j'avais perdue très jeune. J'aurais bien aimé Thérèse, le nom de maman, mais il était déjà trop populaire. J'ai obtenu celui de Sœur Lucille-Marguerite.

J'en étais fière et je pouvais enfin me préparer à être reçue novice. Je priais afin de pouvoir garder le courage de poursuivre ma route. J'ai appris les vraies valeurs: donner sans compter, pardonner sans avoir de rancune et être patiente. Je devais acquérir toutes les qualités d'une vraie religieuse.

Le jour d'être reçue novice arriva très vite. C'était une journée splendide. La chapelle était décorée de fleurs, les cierges étaient en fête. Dans le chœur, les grands tableaux étaient éclairés par des réflecteurs. Des haut-parleurs étaient ouverts dans les corridors de chaque côté de la chapelle pour que les malades, qui étaient clouées au lit, puissent suivre le déroulement de la cérémonie. La chapelle était remplie des familles des novices, toute ma famille y était. J'avançais avec un cierge à la main. Avec ma nouvelle allure: robe noire de fête, une coiffe de toile empesée sur la tête qui descendait de chaque côté de mon visage et un bandeau durci par l'empois sur le front. Toute cette structure formait une cavité au-dessus de mes sourcils. Pour terminer, un voile blanc plissé avait été déposé sur ma tête. Nous devions bien ajuster notre costume. Je vous dis que je faisais une belle sœur! Notre Cardinal Paul-Émile Léger était notre invité d'honneur. Bon prédicateur, il savait nous émouvoir. Une à une nous demandions d'être reçues novices et utilisions désormais notre nouveau nom. Je m'appelais désormais Sœur Lucille-Marguerite.

La cérémonie terminée, je suis retournée au parloir rencontrer ma famille. J'étais heureuse de pouvoir enfin leur parler, mais je ne leur exprimais pas tout ce que je ressentais.

Maman me donna une boîte de sucre à la crème que j'ai remis à ma supérieure. Lors d'une autre fête, nous avons partagé les sucreries avec les autres amies religieuses. L'argent reçu de ma famille a aussi été remis à ma supérieure. En cas de besoin, l'argent me revenait pour mes achats personnels. Le noviciat allait maintenant nous préparer à prononcer nos vœux.

J'ai continué mon travail, mais je n'étais vraiment pas satisfaite de moi. Intérieurement, je n'étais pas là. Le costume m'allait à merveille, mais hélas, je compris que l'habit ne faisait pas le moine... ou plutôt la sœur. Je voulais être authentique, ne pas me mentir face à mon implication religieuse. Je combattais et j'en arrachais. Aucune religieuse ne s'apercevait de mon état. J'ai fini par réaliser que le frottement de ma robe sur mes jambes ne me suffisait pas à me donner la tendresse et à calmer les pulsions qui s'éveillait en moi. À force de lutter contre moi-même, mon état de santé s'est détérioré. J'ai finalement pris la décision de quitter la communauté! Ça n'a pas été facile, parce que la communauté ne voulait pas me perdre. Le médecin qui suivait mon état de santé leur avait expliqué la situation. Avec tout ce stress, j'avais développé une souffrante infection à l'oreille. Sœur générale finit par accepter mon départ. Le malheur de l'un, fait le bonheur de l'autre.

J'ai refermé les grandes portes de chêne avec autant de bonheur que je les avais ouvertes! De plus, j'avais au moins la satisfaction d'avoir connu la vie de l'autre côté, la vie d'un tout autre monde. Je remercie la communauté pour le contenu qui a enrichi ma vie et ma personnalité. Que Dieu soit loué! Bienheureuse Marie-Rose Durocher a été la fondatrice des Sœurs des Saints Noms de Jésus et de Marie. Eulalie Durocher est née au Québec, à Saint-Antoine-sur-le-Richelieu, le 6 octobre dix-huit cent onze. Sa jeunesse s'est déroulée dans sa paroisse natale. Afin de répondre à l'appel de monseigneur Ignace Bourget, préoccupé par l'insuffisance des moyens d'éducation pour les jeunes filles, elle accepta de fonder une communauté dont les membres partageraient son idéal de vie religieuse et son désir d'apostolat pour l'éducation chrétienne de la jeunesse. Deux de ses compagnes se sont joints à elle. Et c'est en octobre dix huit cent quarante-trois qu'elle a débuté la nouvelle congrégation des Sœurs des Saints Noms de Jésus et de Marie, à Longueuil. À sa mort, le six octobre 1849, la communauté était bien organisée et stable. Elles œuvrent toujours aujourd'hui au Canada, aux États-Unis, en Afrique, au Brésil, au Pérou et à Haïti. Il faut prier Mère Marie-Rose avec confiance, elle répond à nos demandes. Elle guérit les maladies et elle nous protège des incendies.

Retour de l'enfant prodigue

De retour chez mes parents, une année s'était écoulée. J'avais l'impression qu'une dizaine d'années s'étaient envolées. Je trouvais étrange de me retrouver parmi les gens et la vie normale, la vie non-structurée. Avec ma famille et mes amis, j'ai retrouvé rapidement la manière de rendre mes journées intéressantes. Je songeais sérieusement à me trouver du travail, mais où? Je n'en avais pas la moindre idée. Quelques jours après mon arrivée, j'ai reçu un appel d'une amie religieuse me demandant si j'étais intéressée à travailler dans leur cuisine. Il leur manquait une cuisinière et elle avait pensé à moi. Heureuse de la bonne nouvelle, j'ai accepté avec empressement. Je suis retournée à mes chaudrons au Pensionnat Marie-Rose.

Je travaillais toute la semaine et les fins de semaine, je restais chez moi à me bercer. Ma mère me disait que ce n'était pas en restant là que j'allais me faire un ami. Un soir, je me suis décidée. Je suis allée danser au centre des loisirs Saint-Jean-Baptiste, rue Rachel. Rose-Yvonne Bergeron, une compagne de travail, m'y a accompagnée. Rose était d'une simplicité remarquable et elle avait la parole facile. Elle était une grande amie au grand cœur qui m'a beaucoup aidée. L'habitude de sortir s'installa très vite. Tous les samedis, nous allions à la danse. La salle était toujours remplie à craquer. Il y avait autant de garçons que de filles, pas de problème. Un soir, j'ai fait la connaissance d'un jeune homme, mais ce n'était pas celui que je cherchais... Je n'arrivais pas à trouver le bon garçon. J'avais par contre la chance d'apprendre et d'étudier le comporte- ment du genre masculin! J'ai décidé de faire une neuvaine de messes à l'Oratoire Saint-Joseph. Une implication de neuf semaines. Mon intention était claire: rencontrer un bon copain. J'avais très confiance. La veille du sixième dimanche, j'ai rencontré mon beau blond aux yeux bleus à notre danse hebdomadaire. Béatrix Moreau. Ma neuvaine fut efficace!

Nos yeux se sont croisés et nos regards se sont immédiatement compris. J'étais assise à la première rangée et lui, à la
dernière. Il n'y avait pas de chaise de libre pour lui. Il devait
retourner à l'arrière après chaque danse. Nous étions attirés
par une force magnétique incroyable. Son air charmeur me
captivait et ses demandes à danser avaient été acceptées
avec bonheur. Après avoir sautillé toute la soirée, nous
devions partir car les portes allaient bientôt fermer. Je trouvais
que mon bonheur passait trop vite, j'aurais aimé danser
toute la nuit. À la sortie, il m'a demandé si je désirais me
faire raccompagner. Souriante, je lui ai dit que ça me ferait
plaisir. À ses côtés, mon cœur battait. Je me disais que
c'était ma soirée et que j'avais enfin trouvé le bon gars.
Mais je ne voulais tout de même pas trop lui démontrer mon
intérêt. J'étais une grande fille indépendante!

J'avais de la difficulté avec son prénom. Béatrix... c'était un
nouveau nom pour moi. Dans sa région natale, certain
portait ce nom peu commun. « Appelle-moi P'tit blond,
c'est plus facile! »

Nous avons marché durant une trentaine de minutes. De
retour chez moi, je l'ai remercié pour la belle promenade et il
m'a demandé si nous allions nous revoir. Je lui ai dit tout bonnement que le lendemain, j'allais à la messe à l'Oratoire. Je
lui ai demandé de m'y accompagner et il a accepté. En bon
garçon, il a participé aux trois dernières semaines de ma neuvaine. Je me disais intérieurement que c'était Saint-Joseph
qui l'avait placé sur ma route. Merci Saint-Joseph, tu as eu
toute ma confiance et tu l'auras tout au long de mon chemin.

Le p'tit blond était mécanicien, mais lorsqu'il venait me voir, je ne pouvais pas deviner son métier. Il était toujours bien vêtu et toujours propre, propre, propre. Sa coiffure blonde était magnifique. Ses souliers étaient cirés par le cordonnier du coin. Ses chemises blanches et ses pantalons étaient toujours de la dernière mode. Il avait toujours belle apparence. Il m'intéressait grandement!

Béatrix vivait avec son frère et sa sœur, ils étaient arrivés à Montréal pour travailler. Un jour, j'ai reçu une invitation pour un souper chez eux. J'avais enfin l'occasion de les rencontrer tous. J'étais d'une timidité maladive, mais leur complicité m'avait mise à l'aise. Béatrice était une couturière très chaleureuse. C'est elle qui a débuté la conversation. Elle me parlait de son travail de couturière dans les manufactures. Son salaire dépendait du nombre de pièces, de morceaux cousus. Elle n'avait pas de temps à perdre. Elle était bien heureuse du travail qu'elle accomplissait. Son frère Jean-Paul écoutait sans dire un mot. Jean-Paul possédait sa carte de menuisier, une carte qui était importante. J'ai vite aimé la façon qu'ils voyaient la vie et nous sommes rapidement devenus des amis. Je me suis sentie acceptée dès le premier moment. Avec le temps, nous avons fait plusieurs d'activités ensemble.

Le petit couple que nous formions ne se voyait que le samedi et le dimanche. Un soir, P'tit blond me surprit: « À mardi! » J'acceptai, étonnée, sa proposition. Il a fini par ajouter deux jours à nos rencontres hebdomadaires: le mardi et le jeudi. C'étaient de bons soirs comme on disait autrefois. Juste à nous regarder, nous pouvions nous deviner. Il a été très patient avec moi, car mon sens moral était très développé...

Notre amour grandissant de jour en jour, il a décidé de me présenter à sa famille. Nous avions profité d'un long congé pour entreprendre le long voyage. Nous avions six heures de route pour nous rendre dans la région de Rivière-du-Loup. Claude, un des amis de travail de Béa, conduisait la voiture. Béatrice avait aussi décidé de nous accompagner. J'avais dix-neuf ans et je n'avais jamais été aussi loin! Main dans la main, je regardais le paysage impressionnant en me demandant si on allait arriver bientôt. Sur des panneaux routiers, j'ai pu lire: Québec, Rivière-du-Loup, Cabano, Notre-Dame-du-Lac. Plus tard, j'ai aperçu la sortie Saint-Benoît de Packington! Quel soulagement. Je me suis questionnée au sujet de la famille à laquelle j'allais avoir affaire. J'avais l'impression de me retrouver tout à coup dans un petit coin perdu! Ce village est situé dans la pointe du Nouveau-Brunswick et du Maine dans le bas Saint-Laurent. Il y avait beaucoup de montagnes et le nombre de fermes m'impressionnait. J'imaginais bien que les fermiers devaient travailler fort. Il y avait des troupeaux de vaches dans les champs, des moutons et des chevaux. Plus loin, nous devions être prudents, j'avais remarqué qu'un panneau indiquait le passage d'orignaux. Parfois ces bêtes se permettaient de traverser le chemin. Je découvrais la vraie nature et j'aimais ça. J'étais loin de mon asphalte natal. C'est d'ailleurs dans cette merveilleuse région que j'ai découvert le Lac Gerry. Ce lac à truites mesure sept milles de long et il est fréquenté par des pêcheurs et de nombreux Américains. Ti-blond aimait bien pêcher dans les rivières avoisinantes qui regorgeaient de poissons.

Nous avions emprunté un chemin de terre qui allait nous mener à la maison paternelle. Une immense maison entourée de magnifiques arbres. Dans la plate-bande, des perce-neige. Un peu plus loin, une ferme laitière. La famille complète attendait notre arrivée. P'tit Blond me présenta ses parents, ses frères et ses sœurs. C'était une famille unie. Douze enfants: sept garçons et cinq filles. Wilfrid, son père, avait été maire de la place pendant vingt-cinq ans. C'était un homme solide qui savait ce qu'il voulait. Je le trouvais taquin et charmeur... Un vrai Moreau! Laurence, sa mère, était vêtue d'une robe fleurie et d'un tablier. Elle m'a laissé immédiatement une bonne impression. Cette femme me semblait dévouée et gentille. Sûrement une excellente cuisinière. Ses yeux pétillaient et transmettaient la joie de vivre. L'odeur du bon pain planait dans toute la cuisine. Le potage mijotait déjà. Sur le poêle à bois, la viande et les légumes.

Les présentations faites, un petit verre de vin de betterave nous a été servi. C'est maman Laurence qui avait concocté le vin que nous avions dégusté tout en parlant de l'état des routes. Le dégel de mars rend la conduite automobile plus périlleuse: les crevasses plus nombreuses. Notre arrivée saine et sauve les avait rassurés. Wilfrid nous a invité à nous approcher pour le souper. La table était dressée. Une nappe blanche aux carreaux bleus. Des marinades-maison et deux sauciers contenant du sirop d'érable complétaient le tout. La famille avait l'habitude de *saucer*. La corbeille débordait de pain fraîchement sorti du four. Le potage a été servi. Papa Wilfrid fit une prière et bénit le repas ainsi que tous les membres qui partageaient les victuailles. Les odeurs nous ouvraient l'appétit. Les plats nous ont été présentés un à un. Je ne prenais que de petites portions. Papa Wilfrid m'observait, me guettait. « Denise, prends-en pas trop, ça coûte cher! » J'avais senti la chaleur monter, je rougissais. Il me taquinait. D'ailleurs, il le faisait chaque fois qu'il en avait l'occasion!

À l'époque, une fille de Montréal était mal vue. Ils ont vite changé d'idée. J'ai rapidement su me faire aimer. Leur simplicité me permettait de me joindre à eux sans trop de misère. L'éducation que j'avais reçue m'avait enseigné à bien me comporter en société.

Nous avions passé une belle fête de Pâques. Cependant, nous devions retourner à nos occupations. J'étais comblée et heureuse. J'ai remercié mon chum d'en haut pour tout ce qui m'arrivait. Enfin, je croyais qu'il y avait une étoile pour moi. Notre voyage dans le bas du fleuve nous avait rempli d'espoir.

J'avais maintenant vingt ans et lui, dix-huit. Il était précoce malgré son jeune âge. J'étais réservée et lui était d'une patience incroyable... Si les bancs du Parc Lafontaine pouvaient parler, ils en diraient long sur nos fréquentations. Tout en admirant le coucher du soleil, nous parlions d'amour. Certains dimanches, nous allions sur le mont Royal. Nous parcourions les sentiers qui nous menaient à l'immense croix du mont Royal. Il y avait un observatoire qui nous permettait, à nous et à tous les autres amoureux de la métropole, de voir la grande ville de haut. Nous apercevions les commerces, les avenues et les gens, la ville était en mouvement constant. D 'autres fois, pour me faire plaisir, p'tit blond m'emmenait déguster un *casseau de patates frites* sur la Broadway à Montréal-Est. Le trajet d'une heure en tramway et en autobus valait la peine. Les amoureux étaient seuls au monde. Nous parlions de nos intentions face à notre avenir. Nous étions très sérieux. Plus le temps passait et plus nous avions l'occasion de se connaître davantage, de partager nos idées... Bien souvent les mêmes! De retour à la maison, nous savions déjà qu'au menu pour le souper, nous aurions droit au jambon, comme à tous les dimanches que Dieu amenait. C'était bien bon et pas cher.

Durant la semaine, je travaillais sur des planchers de ciment, toujours debout... La fin de semaine arrivée, les invitations au cinéma étaient bien venues car elles me permettaient de m'asseoir et de me reposer les jambes.

Je continuais à donner une partie de mon salaire à maman. Avec le peu d'argent qui me restait, je me trouvais toujours une belle robe à acheter. P'tit blond aimait me voir dans mes nouvelles tenues... Son regard en disait long! À la fin d'une de ces nombreuses soirées passées à la maison, il me dit avant de partir: « Veux-tu être ma femme? » Un frisson m'a parcouru le corps de haut en bas. J'ai accepté d'un long baiser d'amour. Dès le lendemain, j'en ai parlé à maman. Je lui ai tout dit sur la grande déclaration de Béatrix. Heureuse d'apprendre la bonne nouvelle, maman voyait bien que je ne perdais pas mon temps avec lui. Je me rappelle qu'elle m'a déjà dit que j'étais un peu trop pincée et que j'allais marier un habitant. Elle avait raison, Béa était fils d'habitants, mais mon idée n'allait sûrement pas changer!

Nous avons décidé de visiter ses parents, car Béa était mineur et il devait obtenir l'accord des parents. En arrivant à la maison, Béa a annoncé la bonne nouvelle: « J'ai l'intention de fiancer Denise à Noël et de la marier à l'été! » Je revois l'air interrogateur de papa Wilfrid. Il m'a regardée droit dans les yeux et m'a dit d'un air taquin: « Tu ne crois quand même pas marier un enfant d'école? » Je me disais intérieurement qu'il ne connaissait pas bien son fils. Je lui ai répondu que nous étions tous les deux sérieux et que nous envisagions le même avenir. Nous voulions fonder notre famille. Après un long interrogatoire et toutes sortes de questions bizarres, il accepta notre décision d'amoureux. Nous sommes retournés à Montréal remplis de projets et plus prêts que jamais à faire face à l'avenir.

Le temps des fêtes arrivait à grands pas. Maman avait décidé de me laisser mon salaire afin que je puisse compléter mes achats pour les fiançailles. Je magasinais les fins de semaine avec maman. Nous entrions dans tous les magasins que nous croisions. J'ai trouvé tout ce que je cherchais. Béa de son côté faisait ses courses autant que moi. Il m'a conduit chez un bijoutier afin que je choisisse les alliances. Je trouvais ça très dispendieux, mais il était heureux de nous les offrir. Ma bague portait un diamant bleu et le jonc avait dix petits diamants. Béa a dû épargner ses sous pour pouvoir nous offrir ces magnifiques alliances en or blanc. Au diable la dépense!

Nous voulions que nos fiançailles soient bénies. Nous avions participé à la messe de minuit de Noël où nous étions une vingtaine à se fiancer. L'église débordait. La messe de Noël, toujours impressionnante. Des cantiques étaient chantés. Nous étions heureux, car nos fiançailles ont été un succès. Après la cérémonie, c'était le retour à la maison pour le réveillon. Un apéro et plus tard, c'était la distribution des cadeaux. J'ai reçu un ensemble de serviettes, des couvertures, des draps et des belles décorations de salle de bain. Ça complétait bien mon trousseau! La dinde se trouvait au centre de la table. Nous avons savouré un excellent repas. Notre gâteau: deux cœurs dessinés et nous pouvions y lire: « Heureuses fiançailles Béatrix et Denise. »

Pour bien digérer notre repas, c'était maintenant le temps de danser. Une belle valse pour débuter. Je me sentais comme une princesse. Je portais une robe de dentelle étagée, un collier de perles, des souliers de velours et bien sûr, mon alliance à mon doigt. Mon prince charmant: une chemise blanche amidonnée, des pantalons et un veston noirs. Ses yeux amoureux me faisaient faire des flammèches. La chanson: « C'est Noël, c'est Noël » était jouée par l'accordéoniste. La musique se faisait entendre jusqu'aux petites heures du matin. Après la fête, les invités retournaient chez eux. Nous devions remettre les meubles à leur place. Nous avons été tous nous coucher afin d'être en pleine forme pour le lendemain. J'ai dit bonne nuit à mon fiancé dont j'étais follement amoureuse et il retourna chez lui. Je me suis couchée et j'ai pensé à ma soirée et à mon engagement.

Dans les semaines qui ont suivi, j'ai continué à préparer mon trousseau. Je brodais mes linges à vaisselle, j'y brodais l'histoire quotidienne d'un petit ourson. J'adorais broder des nappes et des taies d'oreillers.

Le quinze juillet 1961, nous étions arrivé à la journée tant souhaitée. La veille, j'avais accroché mon chapelet sur la corde à linge comme la tradition le demande. Je voulais avoir de la belle température pour le jour de mes noces. Le lendemain, dès huit heures et sans perdre de temps, je me suis préparée. Prête, j'ai dû attendre mon chauffeur. J'étais impatiente, parce que je n'ai jamais aimé être en retard; surtout pas le jour de mes noces! La cérémonie devait débuter à dix heures. Juste avant de partir, j'ai reçu la bénédiction de mon père. On a sonné finalement à la porte. Mon chauffeur est arrivé. Il s'est excusé de son retard et nous a menés, mon père et moi, à l'église. Nous y sommes entrée par l'allée centrale. Les invités nous regardaient monter vers l'hôtel, le moment était émouvant. Je me suis agenouillée à côté de Béatrix. Vu mon retard, il était inquiet... Il croyait que j'avais peut-être changé d'idée. Il a compris finalement que ce n'était pas moi la cause du retard.

La cérémonie a débuté. Nous étions très énervés. Des photos ont été prises pour immortaliser l'événement. Monsieur l'abbé Laporte a demandé à Béatrix s'il désirait me prendre pour épouse. Il a répondu par l'affirmative. L'abbé a poursuivi, c'était à mon tour de répondre « Oui! » Après le baiser, les invités nous ont applaudi. « Vive les nouveaux mariés! »

À la fin de la messe, nous avons signé le registre de la paroisse. Ma bouquetière, Danièle Lemay, fille de ma sœur Rolande, m'a remis mon bouquet et nous sommes retournés vers la sortie. Mon neveu Pierre Ringuette a bien tenu son rôle de page jusqu'à la fin. L'orgue nous a fait entendre la marche nuptiale. Nous sommes sortis de l'église sous une pluie de confettis. C'était le bonheur. La noce se déroulait chez tante Claire à Montréal-Est. Elle adorait organiser les fêtes et c'est elle qui avait eu l'idée de s'occuper de tout. Nous avions accepté avec grand plaisir. Notre arrivée fut marquée par tous les cris de klaxons annonçant notre arrivée. Un tapis rouge avait été déroulé et tante Claire avait retouché ses plates-bandes pour que tout soit parfait. Tout avait été minutieusement décoré avec des cloches et des cœurs. Elle avait même dressé une grande table d'honneur. Marcel, le frère de tante Claire, nous filmait avec sa ciné-caméra. Je possède encore ce film-souvenir. Le plancher de danse était à l'extérieur, l'orchestre s'était installé dans un coin. Le bar, achalandé. Des curieux s'approchaient, mais ne pouvaient accéder à notre jardin secret. Nous étions amoureux et seuls au monde. Je vous dis que mes souliers se sont usés au cours de la soirée. Moi, j'ai toujours aimé danser. Nous avons eu droit à un excellent buffet que ma tante avait préparé. Au centre de la table, un gigantesque gâteau aux fruits de trois étages! Le vin coulait à flot et tout se passait à merveille. Nous avions reçu des félicitations de tous.

Tante Claire s'était aussi occupée de nos cadeaux. Elle était la grande responsable de l'événement et elle ne désirait pas qu'un même cadeau soit offert deux fois. Une pièce avait été aménagée afin que les invités voient nos cadeaux reçus. Les meubles étaient les seuls éléments que nous avons dû acheter. J'avais tout ce qu'un ménage a besoin. Nous avons été très choyés et ce fut grâce à la générosité de tous. Donnez et vous recevrez...

La journée a passé rapidement. Nous avons quitté les invités vers quinze heures. Je voulais faire une petite visite éclair à mes amies religieuses. Je désirais leur apporter mon bouquet de roses rouges. Les sœurs nous attendaient vers quatre heures. Je me souviens qu'en montant l'escalier, j'ai vu plusieurs religieuses à la fenêtre qui surveillaient notre arrivée! Nous avons sonné et c'est la « *sœur portière* » qui nous a ouvert. Elle nous a accueilli et nous a ensuite conduit à la chapelle. Nous avancions vers la statue de la Vierge et j'ai déposé mon bouquet à ses pieds. J'ai demandé à Marie de protéger notre amour. Mes amies de la cuisine où je travaillais avaient le cœur gros. C'était un peu comme un adieu. Je savais que je n'aurais plus l'occasion de partager les besognes avec elles. J'étais maintenant mariée et ma vie prenait un autre tournant. Mes amies m'ont remis une coutellerie en cadeau. Les religieuses sont toujours en contact avec moi. Elles sont restées mes grandes amies tout en faisant le suivi de ma nouvelle vocation.

Nous sommes ensuite partis à notre nouvel appartement pour se faire une toilette et mettre nos vêtements de voyage afin de retourner voir nos invités. Je portais un joli ensemble en nylon brodé lilas avec des chaussures coquille d'œuf. Béatrix portait un habit bleu nuit qui faisait rêver. Nous sommes repartis retrouver la famille et les amis. Derniers adieux avant de partir pour le voyage de noce.

À toute vitesse, nous sommes allés en direction du terminus pour prendre l'autobus qui allait nous conduire à Saint-Gabriel de Brandon. Il n'y avait personne devant le quai numéro douze, notre quai de départ! Nous avons très vite compris que l'autobus était déjà parti! Après s'êtres informés au préposé, nous avons appris que le bus était parti sans nous! Nous étions tellement déçus de cet événement. Nous sommes alors retournés dans notre petit nid d'amour. Après dix-huit mois de fréquentation, le P'tit blond s'est bien occupé de moi... C'était bien mérité. Madame Lune nous épiait. Après s'être satisfaits, il fallait dormir. Entrelacés, nous avons passé une très belle nuit. Au réveil, on se regardait dans les yeux, c'était comme un rêve. Nous avons décidé d'aller à la messe sans ranger la maison. En prévision de notre voyage à Saint-Gabriel, nous avions laissé la garde de notre appartement à un ami de travail de Béa. Claude Éthier n'a pas tardé, il a bien fait son travail. En arrivant à la maison, il a vu que l'appartement était en désordre. Il cru que des voleurs étaient venus visiter les lieux.

Apercevant nos valises, il a vite compris que nous n'étions pas encore partis en voyage et que nous avions plutôt passé à l'action... Nous avons tout rangé dès notre retour. La journée était ensoleillée et les oiseaux chantaient. Après avoir pris un bon dîner, nous sommes enfin partis afin de prendre l'autocar. Cette fois-ci, nous étions à l'heure! Assis au sixième siège, nous étions confiants, heureux de parcourir toute cette route et enchantés de partir en vacances pour une semaine.

Après trois bonnes heures, nous arrivions à notre hôtel. Un chic garçon s'est occupé de nos bagages. Nous avons visité les lieux et nous avons été à la chambre qui nous attendait. Elle était aménagée d'une verrière, d'une table ronde et d'un grand salon. Nous avions aussi accès à une belle piscine. C'était la belle vie! Nous étions comme des rois, le service était impeccable et les repas gargantuesques.

Un matin, une serveuse a fait un faux mouvement et a renversé un jus de tomate sur mon roi! Elle s'est excusée; elle était très gênée. Quand elle est partie, nous avions tout de même bien ri. Les gens s'apercevaient que nous étions de nouveaux mariés. Nous gardons de beaux souvenirs de nos vacances, qui se sont trop vite terminées. Nous commencions maintenant notre vie commune.

Béatrix ne voulait pas que je travaille à l'extérieur. Moi de mon côté, je me disais que mon travail me permettrait de répondre à mes attentes. Il me disait que j'avais déjà assez travaillé. Pendant nos fréquentations, nous avions discuté du nombre d'enfants que nous désirions. Notre idéal était une famille de trois enfants.

Inconsciemment ou pas, Béa voulait que ses repas soient prêts à son retour du travail. À l'occasion, il pouvait aussi venir dîner le midi. À chaque fois, il était surpris des plats que je lui présentais. Ils étaient toujours préparés avec amour. J'aimais lui porter de petites attentions particulières. Il fallait que je gâte mon homme et j'usais de mon imagination. Des recettes, j'en détenais en quantités infinies. J'ai même eu de la difficulté à doser les quantités. Mes recettes à l'époque pouvaient nourrir facilement plusieurs personnes!

Je me suis vite habituée à mon travail de femme au foyer. Les mois passaient rapidement et un bon matin, des nausées. Béatrix me dit que je suis enceinte, mais je ne pensais pas que c'était l'explication. Il devait bien avoir une raison pouvant justifier mon état. J'avais à cette époque de la difficulté avec mes intestins. Une amie m'avait conseillé une tisane miracle pour aider. Mais pour moi, ce fut la catastrophe. Un beau matin, j'ai fait une hémorragie et je me suis rendue chez mon médecin immédiatement. J'ai suivi ses conseils religieusement, mais il était trop tard. J'avais perdu mon premier embryon... À peine la grosseur d'un œuf. Nous étions très tristes de cet événement.

Je repris mes forces avec l'aide de Béatrix. À tous les jours, je prenais une marche et je faisais du lèche-vitrines. Apercevant des vêtements de bébés, le chagrin montait en moi. Mon cœur faisait mal. Je ne voulais plus y penser, car la vie continuait et j'étais heureuse malgré tout dans mon nid d'amour.

Renouveau

Quelques mois ont passé et je me suis vite retrouvée enceinte. « C'est le mois de Marie, c'est le mois le plus beau. » La saison des amours était arrivée. J'étais à l'écoute du développement du fœtus que j'avais en moi, c'était une grande joie que de pouvoir porter mon premier enfant! Que c'est beau la vie! Ayant plus d'expérience, je portais une attention particulière à ma grossesse. J'étais suivie par mon médecin, Jean-Marie Desrochers, un très bon médecin. Béatrix aussi me surveillait de près pour que je puisse rendre mon bébé à terme sans problème. J'avais confiance et en me regardant dans le miroir, je me trouvais de plus en plus grosse. J'avais la chance d'avoir de beaux costumes de maternité, je me sentais bien. Je me préparais à l'arrivée de ce bébé. J'avais confectionné un moïse garni de dentelle et de tulle bleu et rose. La layette était complète. Maman m'avait cousu la robe de baptême fabriquée à partir de ma robe de mariée. Ce bébé allait être le fruit de notre amour!

Afin de me donner un coup de main avant et après la naissance, mes beaux-parents sont venus nous visiter. Nous étions en janvier, il faisait de plus en plus froid. J'avais hâte d'avoir mon bébé. La durée de mes douleurs a été de deux jours, je devais être courageuse. Comme le dit l'évangile: « Tu enfanteras dans la douleur. »

L'heure était proche, nous étions en route pour l'hôpital Jean-Talon. C'était un cas de siège, l'accouchement a été plus difficile. Après les efforts, j'ai entendu finalement des cris et le médecin me dire que nous avions une belle fille. J'étais enchantée. J'avais complètement oublié mes douleurs. Nous étions le 24 janvier 1963. Une grosse fille de sept livres et huit onces venait de naître. J'ai remercié le Seigneur de m'avoir donné la force et le courage jusqu'au bout. Le médecin a été rejoindre Béatrix, qui attendait patiemment dans le corridor, et il lui a annoncé la bonne nouvelle. « C'est une fille! » Béatrix est ensuite venu me rejoindre. Il s'est ensuite rendu à la pouponnière pour voir sa fille.

Le médecin me donna des recommandations: il me fallait du repos afin de pouvoir retrouver mes forces. Après la sieste, je me suis réveillée. J'ai aperçu ma famille. Ils étaient venus me visiter et ils m'ont gâtée de leurs cadeaux. Après quelques journées d'hospitalisation, j'étais de retour à la maison. J'étais fière d'avoir de l'aide de ma belle-maman. Un premier bébé, c'était toute une expérience pour nous. Le moindre souffle m'inquiétait. Une fois la semaine, l'infirmière me rendait visite et me donnait des conseils sur la nutrition et me rassurait au sujet du bon développement de mon trésor. J'étais heureuse d'être maman et j'ai vite réalisé que c'était un travail à temps plein. Très jeune, j'avais appris à m'oublier pour penser aux autres. Je le mettais encore en pratique avec ma petite fille. Aujourd'hui, lorsque mon entourage va bien, moi aussi je me sens bien.

Les mois passaient rapidement et notre amour grandissait de jour en jour. Nous étions attentifs au développement de Manon, sans toutefois oublier de faire notre devoir d'état. Résultat: je me suis retrouvée enceinte à nouveau. Un deuxième bébé était en route.

La période de grossesse s'était bien déroulée et le dix-neuf avril 1964, j'ai eu le bonheur de donner la vie à un gros garçon. Béatrix était fier d'avoir son garçon. Nous l'avons appelé Denis. La famille avait grandi et nous devions maintenant prendre soin de deux perles. Mes journées étaient toujours bien remplies, mais j'avais la chance d'être en bonne santé. Je me permettais d'aller rendre visite à maman qui demeurait près de chez moi. C'était ma petite sortie, ma satisfaction personnelle. Ses conseils étaient enrichissants et c'était un plaisir pour elle de pouvoir cajoler ses petits-enfants.

Je n'oubliais pas mes amies religieuses à qui je rendais visite régulièrement. J'étais souvent accompagnée de mes enfants. Elles ont toujours été intéressées par ce que je leur racontais de ma nouvelle vocation.

Joie de vivre

Je m'occupais bien de ma petite famille. Ça demandait beaucoup d'énergie, mais j'étais heureuse de leur donner ce dont ils avaient besoin. J'étais en amour et ça me donnait des forces illimitées. Mes trésors Manon et Denis avaient le tour de se faire aimer. Quotidiennement, leurs apprentissages nous procuraient un bonheur inexplicable.

Béa, de son côté, travaillait chez *Clermont*. Il était mécanicien. Il travaillait de nombreuses heures, ce qui nous permettait de vivre dans une certaine aisance. Nous étions heureux de ce que nous possédions. Dans ses temps libres, il fabriquait des meubles pour compléter notre ameublement de salon. Par exemple, il avait fabriqué un petit cabinet à boisson avec un ancien meuble de télé. Quelques mois plus tard, une table de salon. Nous étions tous deux très fiers de ses créations.

Quant à moi, j'ai développé mon talent de couturière. Je me procurais des patrons et je confectionnais des pyjamas pour les enfants. Avec des poches de sucre vides, je cousais des linges pour essuyer la vaisselle. Belle-maman tricotait des bas, des mitaines et des foulards pour toute la famille. Les résultats étaient satisfaisants et ça me permettait de faire quelques économies.

Béa était amoureux et il avait trouvé que le temps de la « quarantaine » avait été long. Un soir que la lune rayonnait, encore plus amoureux que d'habitude, nous avons enfin fait l'amour! Devinez ce qui m'est arrivée? Oui, je me suis retrouvée encore enceinte! Je trouvais que c'était un peu tôt. Ça ne donnait que onze mois de différence avec Denis. Je me suis dit que j'étais capable et que j'étais encore jeune! J'avais un bon train de vie. Je me levais tôt, le dîner terminé, je faisais ma sieste quotidienne. Ça me donnait la chance de recharger mes batteries. Béa m'aidait beaucoup. Après le souper, il amusait les enfants. J'admirais son contrôle et son autorité, pour moi dire « Non! » aux enfants c'était difficile.

Un vendredi soir, ma sœur Rolande a eu besoin de nos services. Sa fille Lucie était malade et Rolande n'avait pas de voiture pour la conduire à l'hôpital Sainte-Justine. Nous devions vite partir les chercher. C'était le jour de paye de Béa et juste avant de partir, j'ai caché l'argent dans l'armoire de la cuisine. Pendant notre absence, des voleurs ont défoncé et trouvé l'argent. Ils ont tout pris, même des objets de l'appartement. À notre retour, nous avons retrouvé les portes de notre logement ouvertes. Je trouvais la situation injuste. Nous venions de rendre service à ma sœur et en retour, ce fâcheux malheur se produisait. Il a fallu se dire que ces mésaventures n'arrivaient pas uniquement aux autres…

Pour nous, les sorties de fins de semaine étaient bien ordinaires. On visitait maman, on allait faire l'épicerie et le dimanche, nous allions chacun notre tour à la messe. C'était nos vitamines pour la semaine. Le bon Dieu, tout au long de ma vie, a toujours été mon confident. Les mois passaient rapidement, je n'avais pas le temps de m'ennuyer. Mon troisième bébé que je portais me donnait des coups de pieds au ventre et m'empêchait de dormir. Dans les derniers mois, j'avais commencé à traîner de la patte. J'avais hâte d'accoucher. Jeanne d'Arc, ma belle-sœur, s'était aperçue de mon état, elle était venue chercher Manon pour me libérer un peu. Elle l'avait amené à la campagne pour quelque temps. Je me suis ennuyée de ma petite, mais ça m'a beaucoup aidée à reprendre le dessus. À l'époque, Jeanne d'Arc n'avait pas d'enfant. Je savais que Manon allait être entre bonnes mains et qu'elle serait gâtée comme ce n'est pas possible!

Un beau matin, le postier est venu déposer une enveloppe dans la fente de la porte. J'ai ouvert le courrier et j'y ai vu des belles photos de Manon. Elle y figurait, assise près d'un mouton. Elle nourrissait la bête avec une bouteille de lait et elle avait l'air enchanté. Moi, j'avais hâte qu'elle revienne.

Durant la soirée du hockey du 27 mars 1965, mes douleurs ont commencé. Nous sommes partis pour l'hôpital et j'ai donné naissance à un beau bébé. « Il va s'appeler François! »

La famille prenait de l'ampleur, nous étions bientôt dans l'obligation de se trouver un logis plus grand. Chez *Rocheleau*, un gros garage, il avait besoin d'un nouveau mécanicien. Béa s'y est présenté et il y a décroché l'emploi. La chance continuait à être de notre bord. Nous avions trouvé un logement dans l'est de Montréal. C'était tout près de son nouveau travail. Le mois de mai était déjà arrivé et Manon avait maintenant sa propre chambre. Une chambre coquette décorée avec des meubles usagés. Denis et François, quant à eux, partageaient la même chambre. Je me sentais gâtée car Béa m'avait acheté une laveuse automatique et une sécheuse. C'était le grand luxe, car à tous les jours, je pouvais laver les couches de coton. Mon travail de couches était facilité et j'avais un peu plus de temps pour penser à moi. Je remerciais Dieu, car toute ma petite famille était en santé.

À l'heure du souper, Manon me rendait des services. Elle m'apportait les pommes de terre et pendant que je les faisais cuire, elle déposait les ustensiles sur la table, ça l'occupait.

Denis avait tout un tempérament. Il demandait beaucoup d'attention, mais avec son petit air câlin, je lui pardonnais tout. François se permettait de me chatouiller les jambes lorsque je cuisinais. Il me fallait des yeux tout le tour de la tête! Juste avant que Béa arrive pour le dîner, je faisais ramasser les jouets par les enfants. Il y en avait à la grandeur de la cuisine. Les enfants savaient que leur père serait de retour du travail. Ils entendaient claquer la porte et se précipitaient tous sur lui. Manon lui demandait de la gomme. Denis et François désiraient des tours de cheval. Béa à quatre pattes les amusait pendant que je préparais les assiettes. Nous vivions des moments heureux!

Mon ange

Le 24 janvier 1966. Nous étions debout depuis sept heures ce matin-là. Le soleil brillait sur le manteau blanc de neige. C'était froid, l'hiver était arrivé. Le petit-déjeuner fut suivi de la toilette matinale. Manon voulait mettre sa plus belle robe, car c'était aujourd'hui son troisième anniversaire. Denis et François étaient bien habillés, eux aussi, pour l'occasion. Il y avait de l'amour dans l'air. Manon attendait impatiemment son papa, car elle savait que sa surprise était prévue pour midi. Moi, je préparais du poulet avec du riz et des légumes. C'était l'heure, Béa arriva enfin avec le gâteau d'anniversaire acheté chez le pâtissier du coin. Trois chandelles y étaient installées. Le repas terminé, j'ai allumé les bougies et Manon, de son puissant souffle, a réussi à toutes les éteindre. Nous chantions « Bonne fête! » Denis et François applaudissaient et Manon, toute resplendissante, regardait de ses grands yeux bleus l'immense cadeau. Manon était bien jolie avec ses cheveux blonds bouclés. Malgré ses trois ans, elle paraissait en avoir cinq. Avec l'aide de ses deux frères, elle déballa son cadeau. Elle reçut une table en bois verni et deux chaises. Heureuse, elle nous embrassa et nous caressa très fort.

Béa retourna à son travail. Comme d'habitude, après le repas du midi, j'ai lavé la vaisselle. Et ensuite, pour chacun, c'était le temps de la sieste. À quinze heures, Manon se réveilla bien reposée et m'a demandé la permission d'aller jouer dans la neige. Je lui ai mis son habit de neige en *tweed*, son bonnet de laine rose et blanc et ses mitaines tricotées par sa grand-maman Laurence. Manon était maintenant prête à sortir, bien au chaud. Toute souriante, elle descendit jouer dans la neige. Denis et François s'amusaient. Quant à moi, je terminais mon repassage tout en jetant un coup d'œil à Manon. À toutes les dix minutes, je lui demandais si elle voulait entrer, car il faisait froid et je ne voulais pas qu'elle prenne froid. Elle ne voulait pas et continuait vivement à jouer dans la neige. « Encore un peu! », me disait-elle. Quelques minutes plus tard, je suis sortie sur le balcon et je lui ai demandé de monter... Je n'ai reçu aucune réponse. J'ai alors crié: « Manon! », mais je n'avais toujours pas de réponse.

J'ai aperçu alors sa tête et son bonnet qui étaient pris entre deux marches d'escalier de métal. J'ai fermé la porte derrière pour empêcher Denis et François de sortir de la maison. Sans mettre mon gilet je suis rapidement descendue dans les escaliers pour y découvrir ma petite Manon pendue. Ses pieds ne touchaient pas à terre. Elle était bien coincée entre les deux marches!

La dame qui demeurait au-dessus de moi me regardait par sa fenêtre. Elle a remarqué que quelque chose d'anormal se passait. Elle me regardait porter secours à Manon, j'étais en larmes, j'avais d'énormes frissons qui transperçaient tout mon corps. La voisine est venue me rejoindre et j'ai, avec difficulté, réussi à décrocher Manon de l'escalier. Je la tenais bien contre moi et j'ai remonté l'escalier avec Manon inconsciente dans mes bras. En entrant dans la cuisine, je l'ai couchée par terre et je lui ai donné la respiration artificielle, le bouche-à-bouche. Elle était encore chaude. Je voulais qu'elle me revienne. Il était déjà trop tard, la respiration était complètement coupée. L'os cervical se serait brisé et c'est ce qui aurait provoqué sa mort. J'ai constaté bien vite qu'elle était morte! Ma voisine a téléphoné à la police et à Béa qui était toujours à son travail. En peu de temps, l'ambulance est arrivée et nous y sommes montés. L'ambulancier m'a déposé la petite dans les bras et lui a donné de l'oxygène. La sirène criait et hurlait, comme moi. L'infirmier, qui se trouvait face à moi, essayait de me calmer du mieux qu'il le pouvait.

J'ai trouvé le trajet long. Rendu à l'hôpital Maisonneuve, l'infirmier m'a enlevée Manon des bras. J'ai ressenti une douleur vive et indescriptible. Je savais que Manon ne reviendrait plus.

Assise dans la salle d'attente, où il y avait beaucoup de va-et-vient, j'ai aperçu enfin mon Béa. Il connaissait déjà la mauvaise nouvelle. Il s'est jeté dans mes bras et nous avons pleuré ensemble. Il m'a dit qu'il savait que je la surveillais bien et qu'il ne fallait pas que je me culpabilise. L'aumônier s'est approché de nous pour confirmer notre perte: « Vous venez de perdre votre petite. Elle est morte. Vous avez quand même de la chance, vous avez deux autres petits garçons. » Il ne savait pas trop quoi dire pour nous consoler.

C'est une grosse perte que de perdre son enfant.
La vie est parfois cruelle.

Nous avons reçu beaucoup de sympathie de la part de nos parents et amis. Béa s'est occupé des frais funéraires. Il a acheté le plus beau cercueil qui puisse exister. Manon portait sa robe bleu pâle, celle qu'elle portait lors de son anniversaire et avait de petites boucles de satin bleu dans ses cheveux. Elle reposait désormais en paix. C'est notre ange qui veille sur nous et qui prépare notre place. Manon, tu resteras toujours dans mon cœur!

Nous l'avons conduite au Cimetière de l'Est de la rue Sherbrooke. Nous y avons acheté un terrain pour la famille.

La mort tragique de Manon a été traitée en couverture du Journal de Montréal. À la seule vue de sa photo, nous ressentions une douleur insupportable. Un grand vide s'était installé dans nos vies.

La cérémonie terminée, chacun retourna chez eux. Heureusement que j'avais grandi dans la foi et c'est cette dernière qui me suit encore aujourd'hui. Cette foi qui me rend capable aujourd'hui de vous écrire ces quelques passages émouvants de ma vie. J'ai eu de la difficulté à accepter cette épreuve. J'ai beaucoup travaillé sur mon comportement. Béa, Denis et François avaient encore besoin de moi, je ne devais pas rester déprimée toute ma vie. J'étais la mère d'une belle petite famille et je voulais que la famille continue de s'épanouir. J'ai été chanceuse: j'avais un mari qui m'aimait et qui prenait bien soin de moi.

Belle-maman et Marguerite, la sœur de Béa, sont venues nous appuyer pendant notre grande douleur. Elles avaient passé un certain temps avec nous et nous avions été les reconduire en auto, dans le bas du fleuve. Marcel et Jeanne d'Arc nous avaient aussi accompagné. Le temps passait plus vite et tout ça nous changeait les idées. C'était un aller-retour, mais ce n'était pas à la porte. Nous avions six heures de route à effectuer. Nous étions partis en direction de Saint-Benoît de Packington, là où une tempête était annoncée... Personne n'avait pris cette prédiction-météo au sérieux. Après un bout de temps, nous nous sommes arrêtés afin de faire le plein d'essence. J'ai demandé à Manon de nous aider à faire un beau voyage et que tout se passe bien. Rendus à Montmagny, c'était la tempête. J'avais toujours confiance, je savais que nous allions nous en sortir! Plus loin, les routes étaient fermées, il nous fallait attendre quatre heures dans l'auto. Les enfants ne souffraient pas. Ils avaient à boire et à manger. Moi, j'étais à moitié endormie par les médicaments. Nous étions au chaud, mais je commençais à trouver le voyage long et épuisant.

Il n'y avait plus un seul motel de libre. Nous avons décidé d'entrer dans un restaurant où nous avons attendu pour rencontrer le gérant, histoire de savoir où nous pourrions dormir un peu. Marguerite s'occupait de François qui grignotait un biscuit, il perçait des dents. Marguerite, tout à coup était inquiète: François était trempé... que se passait-il? François avait la diarrhée! Tout allait très bien! Nous sommes allés aux toilettes pour nettoyer tout ça!

Nous nous sommes couchés sur les bancs pour y prendre un peu de repos. Pendant ce temps, la tempête diminuait d'intensité et nous étions à la chaleur. Marcel s'était informé de l'heure du prochain train. Le gérant a dit que ce dernier devait arriver dans quelques minutes. Belle-maman et Marguerite se sont donc rendues à toute vitesse au comptoir afin d'acheter leurs billets pour terminer leur voyage en train. Nous avons finalement, plus tard dans la soirée, trouvé une chambre dans un motel! Les bambins et nous, avons enfin pu dormir et nous reposer. Le lendemain, nous retournions à Montréal.

Petit train va loin...

Nous sommes revenus à Montréal complètement épuisés. La chambre de Manon nous rappelait son départ. Nous avons pris notre courage à deux mains pour affronter notre nouvelle vie sans elle. Nous n'étions pas prêts à passer à travers cette étape. L'amour entre Béa et moi était de plus en plus fort. Il nous était venu à l'idée de préparer une nouvelle chambre pour Denis. La chambre de Manon fut repeinte et décorée afin d'être occupée par Denis. Avec le temps, j'ai pu me débarrasser des vêtements et des poupées. J'ai gardé une mèche de ses cheveux blonds et sa brosse à dents. Aujourd'hui, elle serait âgée de trente-six ans.

Je me suis rétablie doucement de cet événement. L'été suivant, ma nouvelle locataire du premier étage désirait installer une piscine dans la cour. Imaginez toutes les inquiétudes et le stress qui me dévoraient. Je ne voulais pas envoyer Denis jouer dans la cour ayant peur qu'il nous arrive un autre accident fâcheux. Je me suis retrouvée malade. J'ai été dans l'obligation de subir une opération à la vésicule biliaire. Je me trouvais encore chanceuse d'avoir ma belle-sœur Jeanne d'Arc pour venir à mon secours.

Malgré mes moments de bonheur, les mauvais souvenirs me hantaient toujours l'esprit. Nous avons décidé de déménager, je voulais aller vivre à la campagne et changer d'air. Nous cherchions une maison retirée avec un grand terrain pour avoir enfin la paix et pour permettre à mes petits amours de se développer en toute liberté et normalement. Nous avons visité la ville de Pointe-Calumet. Nous y avons trouvé un bungalow et après une autre visite attentive des lieux, nous avions signé le bail. Nous étions prêts à déménager le premier du mois de mai.

Nous y avons fait un grand ménage: lavage et peinture. Face à l'entrée, nous avions installé la salle à manger. Et pour compléter, nous avions placé un canapé rembourré par Béa dans un coin. Moi, j'ai confectionné les tentures avec le même tissu recouvrant le canapé. Le tout donnait une allure chaleureuse et harmonieuse. Toutes les pièces étaient maintenant à notre goût. C'était un bonheur bien mérité. Je respirais enfin la paix et l'air pur de la campagne. Nous avions un grand terrain clôturé qui nous permettait d'installer des balançoires. Le cheval du voisin venait nous rendre visite de temps en temps. Nous avions aussi notre chatte Pon-Pon qui s'amusait avec les garçons.

Je prenais beaucoup de temps pour m'amuser avec mes amours. Nous prenions des marches et les gens me demandaient si mes garçons étaient jumeaux. Je leur répondais: « Non, mais ils n'ont que onze mois qui les séparent. » J'en étais bien fière!

Durant le temps des pommes, nous allions à Saint-Joseph-du-Lac. Les enfants aimaient bien ça. Je les laissais croquer dans les bonnes pommes délicieuses. Nous en ramassions de bonnes quantités afin de me permettre de faire des tartes, de la compote et de la purée. Le soleil radieux se couchait sur le magnifique paysage d'automne. Les couleurs nous donnaient un regain de vie. Le soir arrivé, nous étions prêts pour un gros dodo. Nous avons habité à Pointe-Calumet deux belles années, en 1968 et 1969.

Lorsque les bambins dormaient, nous parlions de nos projets. Béa songeait à nous acheter une maison. Nous avions des économies et comme Béa disait avec raison: « C'est lorsque nous sommes jeunes qu'il faut investir!

Par un beau dimanche, nous étions partis visiter des maisons-modèles. Béa y trouvait toujours des défauts. Il me disait avoir suivi des cours en construction et qu'il serait capable de m'en construire une. Je lui ai fait confiance... Béa était bien décidé à construire notre demeure.

Denis était déjà rendu à l'âge de fréquenter l'école. Il fallait faire du changement. Nous avions assez d'économies pour acheter un terrain. Nous aimions Sainte-Marthe-sur-le-Lac. Nous y avions déniché un terrain. Nous avons aussitôt rencontré son propriétaire et brassé des affaires. Le terrain était situé au 150, 30ᵉ avenue, tout près de l'église, de l'école et d'un mini-centre d'achats. Je pouvais même prendre l'autobus pour Montréal juste au coin de la rue. Lorsque l'ennui me prenait, sans problème, j'allais voir ma mère. Quoi demander de plus?

Pour habiter plus près de notre construction, nous avions loué un chalet de monsieur Théoret. Je pouvais aider Béa à transporter des blocs de ciment pour construire les fondations. Je voulais autant que lui que notre projet soit une réussite. De leurs côtés, les enfants jouaient dans le sable et ramassaient des cailloux. La compagnie pour laquelle Béa travaillait tomba en grève. Ce qui lui permit de faire progresser notre chantier. Ses amis venaient l'aider et en échange, il les aidait à effectuer différentes tâches. Nous y avons tous mis la main à la pâte et la construction fut vite terminée. Le résultat de dur labeur était épatant. Nous avions maintenant, en 1970, terminé notre magnifique bungalow. Les enfants continuaient à se développer paisiblement. Merci mon Dieu pour tout ce que vous nous donnez! Denis avait huit ans et François sept. L'instinct maternel se réveillait fortement en moi: je désirais avoir un autre bébé. J'avais exprimé ce désir à Béa et il m'avait dit que nous devions commencer ce projet le soir même!

J'étais heureuse d'arrêter la pilule anticonceptionnelle. Quelques semaines plus tard, j'étais enceinte et épanouie. Maman Denise était très occupée avec ses deux garçons… Je devais les suivre de près. Ils étaient en santé et plein d'énergie. Les caresses et les réprimandes étaient partagées, c'était tout à fait normal.

Je portais mon bébé sans problème, je faisais attention et tout se déroulait bien. Les mois passèrent très vite et le grand jour est arrivé. Depuis quelque temps, je me sentais plus lasse et je ne dormais pas bien. J'avais des douleurs vives, mais je les endurais sans broncher.

Béa est arrivé pour le souper et s'est informé de mon état. Il trouvait que j'avais l'air fatiguée. Je lui ai dit que je ressentais des douleurs et immédiatement, il a téléphoné au médecin Mario Dannunzio. Le médecin voulait me voir tout de suite. Après m'être fait une toilette, je m'y rendis avec Béa. J'ai pris le temps de mettre ma valise dans le coffre arrière de la voiture. J'avais peur de ne pas avoir le temps de revenir chercher mes effets personnels à la maison. Mon médecin m'a annoncé qu'il était maintenant temps de me rendre à l'hôpital de Saint-Eustache. L'heure était venue. La salle d'attente était remplie, mais tous ont malheureusement été retournés chez eux. Les patients étaient mécontents.

C'était urgent! Aussitôt arrivée à l'hôpital, j'ai enfilé une jaquette. Une infirmière m'a demandé mes lunettes, mais après les lui avoir remises, je ne voyais plus rien. Quand mon médecin est arrivé, je ne l'ai pas reconnu et j'ai dû lui demander si c'était bien lui. Il était surpris et il ne comprenait pas la pertinence de ma question. Tout à coup, il a réalisé que je n'avais pas mes verres et que c'était pour cette raison que je ne l'avais pas reconnu! Il demanda à l'infirmière de me redonner ma vision. Mes lunettes ont toujours été indispensables et pour la première fois de ma vie, j'allais voir naître mon bébé!

Béa a été invité à assister à l'accouchement. L'infirmière de garde n'était pas heureuse de cette décision, car le nouveau règlement qui permettait au père d'assister n'était pas encore affiché au mur. Mon médecin mit fin à la discussion, il a décidé que le père pouvait assister à l'accouchement. Dans cet établissement, Béa a été le premier papa à assister à une naissance. J'avais été avertie que j'allais avoir mon bébé sans anesthésie. « Regardez dans le miroir au plafond, à droite », me disait mon médecin. J'avais une contraction, puis une autre. « Laissez-vous aller! » Curieuse je fixais le miroir. Encore une nouvelle contraction. J'ai aperçu une petite tête qui se présentait, puis l'épaule droite et la gauche. Bientôt, c'était le bébé au complet qui sortait. Quel bonheur que de pouvoir donner la vie! J'avais vu naître mon bébé!

C'était un garçon! Des tapes lui ont été données aux pieds et des cris se sont fait entendre. J'ai vite oublié mes douleurs, j'étais heureuse et Béa était tout ému de sa nouvelle expérience. Béa m'a donné un baiser et m'a dit de me reposer. Nous étions le vingt-huit septembre 1972. Il s'appelera Martin. Nous avons décidé que le parrain et la marraine seraient Marcel et Jeanne d'Arc. Ils étaient bien près de nous et ils ont accepté joyeusement. À l'hôpital, chaque journée débutait par une visite à la pouponnière. Dans mon cas, ça été le plus tôt possible afin de pouvoir admirer mon trésor. Malheureusement, nous étions séparés par une énorme vitrine. Je craignais qu'il manque de ma chaleur. De jour en jour, ses traits se dévoilaient, ses yeux brillaient davantage lorsqu'il voyait ma silhouette. Je constatais que dans l'ensemble, c'était mon bébé qui était le plus beau. J'ai été hospitalisée durant une semaine, ce qui m'a permis de reprendre mes forces. J'ai obtenu mon congé à la condition de suivre les conseils de mon médecin. Je devais reprendre mes tâches avec modération. Pendant que Béatrix rassemblait les cadeaux et les fleurs, je m'occupais de bien emmitoufler mon poupon. Je le préparais pour sa première sortie. En quelques minutes, nous étions de retour à la maison. Denis, François et la gardienne étaient bien installés à la fenêtre du salon. Ils attendaient impatiemment notre arrivée. Ils ont tous éclaté de joie en attendant le bruit du klaxon… Nous étions de retour à la maison. J'ai installé confortablement Martin dans son moïse qui était placé tout près de mon lit. Denis et François admiraient leur petit frère. Ils me questionnaient. C'est incroyable tout ce qui se passait dans leur tête d'enfant. J'ai pris le temps de répondre à toutes leurs interrogations. Chaque question mérite une réponse. J'ai terminé en les avertissant que j'avais beaucoup moins de temps à leur consacrer. Je devais m'occuper de Martin. Parfois, ils me demandaient de le bercer. Leur désir était accompli, mais à raison de quelques minutes et je n'osais pas trop m'éloigner du trio. Ils étaient bien fiers d'annoncer à leur père qu'ils avaient bercé le bébé. Je vous avoue que Martin était bien entouré et que la marmaille continuait de bien s'épanouir.

Quelques semaines plus tard, mes forces étaient de retour. J'avais bien l'intention de me donner un peu de temps pour me gâter. J'ai décidé de faire des nouvelles activités. J'ai suivi un cours de relations parents/enfants. J'ai bien aimé ce cours qui m'a appris des nouvelles façons de communiquer avec mes garçons. Ensuite, je désirais me joindre au Cercle des Fermières. J'ai informé Béa de mon idée et il était bien d'accord. Il allait prendre la relève et j'en étais bien contente. Chaque premier mercredi du mois, je me rendais à ma réunion. Le groupe était formé de cinquante femmes et j'étais très à l'aise avec elles. Durant trois heures, nous échangions des idées et des histoires drôles. Nous avions la chance de nous défouler et de rire… C'était bon pour la santé. Il y avait aussi des moments plus sérieux. J'apprenais à crocheter et à faire de l'artisanat. Ça me changeait les idées. De retour à la maison, à l'aide de mon modèle, je pouvais commencer ma mitaine. Le mois suivant je la terminais. Tous nos travaux d'artisanat se trouvaient à l'exposition de fin d'année. Je revenais chez moi après ces soirées, toute resplendissante. Ces rencontres m'apportaient un regain d'énergie pour reprendre ma besogne. Après avoir écouté les histoires de chacune, je me disais que j'étais bien chanceuse de n'avoir aucun problème avec mes enfants. J'étais bien satisfaite d'appartenir au Cercle des Fermières de St-Eustache.

Béa aimait bien gâter les enfants. Denis et François avaient demandé une moto, une 75cc. Leur désir fut comblé et ils se sont bien amusés! Un soir, ils m'ont demandé: « Maman, tu devrais essayer la moto! » Je n'étais pas décidée, mais je leur ai dit que lorsque je serais prête, je leur ferais signe. Un soir après avoir terminé la vaisselle, je voulais enfin faire un tour de moto. J'ai chaussé des bons souliers et au grand plaisir de tous, je me suis installée sur la moto. Je me suis mise à avancer tranquillement, tout en étudiant mon affaire. Les jeunes m'ont conseillé de donner un peu de gaz afin d'aller plus vite. Dans mon énervement de débutante, j'ai tourné la poignée fermement. Je voulais donner du gaz et croyez-moi, j'ai décidément pris de la vitesse! Paniquée, j'ai fait un saut artistique sans le vouloir. Je me suis tenue très fort pour ne pas tomber. J'ai terminé ma course dans le jardin, je suis tombée la tête juste à côté d'une grosse roche. Tout cela pour faire plaisir aux enfants! Ils ont ri de me voir étourdie de la sorte. J'avais les cuisses toutes rougies. Le lendemain, elles étaient de toutes les couleurs. J'étais belle à voir, surtout que nous partions en vacances dans ma belle-famille. Je me suis fait interviewer par tous et chacun. J'ai décidé de troquer la moto pour mes radis, mes échalotes et ma laitue.

Nous étions rendus en février, c'était le mois du cœur et de la Saint-Valentin. Je faisais du bénévolat en passant de porte en porte pour ramasser des fonds pour les maladies du cœur. Ayant toujours peur des chiens, je devais faire des gros efforts pour réussir ma mission. Les gens me demandaient: « Êtes-vous pris du cœur? » Je leur répondais: « Non! » Je ne pensais pas qu'un jour j'aurais besoin d'une intervention chirurgicale au cœur! J'étais fière de donner de mon temps pour cette cause. Nous sommes toujours récompensés pour ce que l'on donne.

On me dit bonne cuisinière, mais je n'ai jamais eu de talent d'infirmières. Je crois que je suis trop sensible pour soigner. J'ai toujours eu peur de faire plus de mal que de bien! Béa n'a pas été gâté sur ce point-là! Un jour, en prenant sa douche, un petit morceau de savon s'est accidentellement installé dans une de ses oreilles. Il est descendu me voir à la cuisine et m'a demandé de retirer le morceau. J'ai aperçu le petit morceau coincé tout au fond. Je me demandais de quelle façon j'allais résoudre le problème. Les enfants regardaient, c'était sérieux! Je me suis servie d'une pince à sourcils, mais je n'y arrivais pas. Le savon glissait. Béa était impatient et il me suppliait de faire quelque chose. Il m'est venue une idée... J'ai décidé de verser un peu d'eau pour faire sortir le morceau. Des bulles de savon se mirent à monter vers le plafond et les enfants riaient de bon cœur.

Même moi, je ne pouvais m'empêcher de ricaner. Béa a décidé d'aller voir des professionnels à l'hôpital. C'est à l'aide d'une poire à succion que l'infirmière a réglé le problème. Béa est revenu soulagé et avec l'oreille toute propre!

J'étais heureuse de voir que mes enfants étaient curieux et qu'ils s'intéressaient à différentes choses. François s'était procuré un livre sur la taxidermie, l'art de naturaliser les animaux. Avec son père, il a acheté et a fini par posséder tout ce qui concernait l'empaillage. Il a installé des pièges pour animaux au bord de la Rivière du Chêne. Chaque matin, avant de monter à bord de l'autobus scolaire, il se rendait à la rivière pour voir ses prises. Un bon matin, ça été la surprise! Une mouffette. Il a gardé son secret jusqu'à son retour de l'école. Dès son retour, il a changé de vêtements. Accompagné de son cousin Éric, le fils de Jean-Claude et de Lorraine, il s'est mis à l'œuvre. J'étais occupée à préparer le souper. Une mauvaise odeur finit par se rendre jusqu'à la maison... Je me questionnais sur la provenance de ce cet arôme et j'ai fini par découvrir la moufette. J'ai disputé François, j'étais fâchée, mais il ne changea pas ses plans. Il était tellement heureux de sa trouvaille. C'est Denis, ayant déjà l'âme de chasseur qui a tiré l'animal odorant avec une balle de vingt-deux. Mon beau-père était en vacances chez nous et il ne saisissait pas le but de ce projet farfelu. Vu mon mécontentement, François avait rapidement naturalisé l'animal sans prendre toutes les précautions exigées. Il n'a pu garder son chef-d'œuvre malgré toutes ses tentatives. La vermine s'était emparée de l'animal! À mon grand soulagement, il l'a jetée à la poubelle! François ne s'est jamais découragé facilement... Il a continué à installer des pièges. Sa prochaine victime fut un écureuil. Cette fois-là, il a pris son temps afin de suivre toutes les étapes de l'empaillage. Quand l'écureuil fut terminé, il l'a installé sur une branche. Il a aussi attrapé une mignonne petite souris qu'il a empaillée. Il désirait l'offrir à sa cousine Claire Dupuis. Malheureu-sement, un chat gourmand l'a croquée et en fit son propre jouet! Le courageux François a tout de même continué à naturaliser: un rat musqué, une marmotte, etc. Il s'amusait beaucoup avec ses projets et sa chambre a fini par ressembler à un zoo.

François a suivi des cours de guitare. Il était bien talentueux. Le soir, durant de longues heures, il pratiquait ses nouveaux accords. Il est devenu un bon musicien. Il a même donné des cours à des débutants, ce qui lui donnait un peu d'argent de poche. François voulait devenir chanteur. N'ayant pas une bonne opinion de la vie d'artistes, nous lui avions conseillé de penser aux autres options qui s'offraient à lui. Il a pris sa décision lui-même. Il a terminé son université en enseignement et il est présen-tement professeur de français au secondaire.

Denis, tout en terminant son cinquième secondaire, travaillait sur une ferme, chez notre voisin, monsieur Robinson. Ça lui permettait de faire un peu d'argent pour ses dépenses. Son employeur lui demandait de nourrir ses vaches et ses veaux. Il devait nettoyer la grange, car tout devait être bien propre. Denis avait une bonne relation avec son patron et lui demandait parfois la permission de faire de l'équitation.

Denis appréciait se balader à cheval. Monsieur Robinson, n'ayant que des filles, était bien fier de partager ses tâches avec Denis. Jeune, fort et musclé, Denis travaillait bien et n'avait aucun problème à gagner son salaire. De retour à la maison après une dure journée de travail, il avait un bon appétit. Il me demandait, en entrant, si j'avais des biscuits. Je ne pouvais pas lui mentir, car l'odeur des galettes m'aurait trahie. Avec un sourire, je lui en donnais pour le faire patienter jusqu'au souper. C'est au tour de la table que ça se passait. La famille était complète. Nous discutions de leur avenir. Après y avoir longuement pensé, Denis a finalement choisi un cours en technique agricole. Il a étudié à Deux-Montagnes pour une durée de deux ans. Il a fait ensuite une demande pour faire un stage sur une terre agricole en France. Nous l'encouragions et il fut accepté. Nous lui avons procuré tout ce dont il avait besoin pour le voyage.

Denis nous a quitté pour la France. Avec un pincement au cœur, nous l'avons accompagné à l'aéroport de Mirabel. Un de ses grands amis, Pierre Leroux, est venu avec nous. Je devais être raisonnable, j'ai retenu mes larmes. J'allais être séparée de lui pendant les six prochains mois! Je le regardais traverser le couloir. Il allait prendre son avion et je lui ai envoyé des bye-bye « Seigneur, fais que tout se passe bien! » Le temps était venu de couper le cordon!

Après quelques semaines, j'ai reçu de ses nouvelles. Il m'avait écrit une très belle lettre rassurante. Il demeurait dans un château, chez le maire de la place. Il avait beaucoup de travail, mais il était heureux. Son patron était correct envers lui. Denis s'occupait des bovins et des moutons. Il avait passé la fête de Noël avec eux, il avait reçu de beaux cadeaux, car il était apprécié de tous. Le fait que Denis avait maintenant un idéal était très important pour moi et très rassurant. Quotidiennement, je pensais à mon fils, je me tenais occupée et pu de cette façon, passer à travers mon ennui. En regardant le calendrier, je me suis vite rendue compte que son stage tirait à sa fin.

J'ai pensé organiser une fête pour le retour de Denis. Martin faisait sa confirmation, j'ai décidé de les fêter ensemble. D'une pierre, deux coups. J'avais commandé un buffet chaud pour une soixantaine d'invités qui participaient à cet événement. J'ai cuisiné les deux gâteaux: celui de Denis représentait un tracteur et celui de Martin, un voilier. J'étais heureuse de revoir mon Denis, il avait pris de la maturité. Il en avait long à raconter et il parlait à la française.

Denis aurait aimé que nous achetions une ferme, mais nous n'en avons pas trouvée. Denis finit par orienter sa carrière autrement. Il est maintenant journalier, bon à tout faire. Mes beaux-parents, qui étaient avec nous pour fêter, avaient décidé de passer quelques semaines avec nous. Je leur prêtais ma chambre et leur portais une attention toute spéciale. Ils aimaient bien venir se promener chez moi. Le temps des sucres arrivé, nous les avions invités à venir à la cabane à sucre *Constantin*. Nous étions assis à de grandes tables. On n'était jamais trop pour goûter au bon sirop d'érable. Tous étaient bien contents de se sucrer le bec!

Après leur séjour, ils décidèrent de retourner dans leur petit coin tranquille. Ils avaient dans leurs bagages, tout le bonheur que nous leur avions procuré.

Les premiers jours suivant le départ des beaux-parents me rendaient triste. Il y avait un grand vide dans la maison. Je me sentais seule, le temps de la rigolade et de la dame de pique n'existait plus. J'ai dû remettre le jeu de carte dans le tiroir et la dame de pique allait revenir qu'au retour de Wilfrid et Laurence.

Heureusement que j'avais Martin, il était mon soleil, c'était mon bébé. Vous comprenez ce que c'est un bébé pour une mère! Je m'ennuyais de Denis et François qui avaient quitté le nid familial. Nous communiquions par téléphone. Ma voisine Johanne avait besoin d'une gardienne pour sa fille Elizabeth qui était âgée de deux ans. Je lui ai offert mes services. Martin s'est réjoui d'avoir une amie pour s'amuser et je m'épanouissais avec mes deux amours. Elizabeth était une petite anglophone, ça me permettait de pratiquer mon anglais. Elle appris très vite à me demander de la soupe et du jus. Elle était mignonne. Après le dîner, c'était la sieste. Je la couchais près de moi, je me fermais les yeux pour qu'elle s'endorme rapidement. Après quelques minutes, je vérifiais si elle dormait. Ses deux petites mains étaient posées sur ses yeux, laissant un espace lui permettant de voir si moi, je dormais. Je trouvais ça bien drôle. Elle me disait: « J'ai assez dormi Denise! » Comment ne pas l'aimer! Lorsque Johanne, sa mère, venait la chercher, la petite ne voulait pas s'en aller. Elle voulait souper chez nous! Sa mère devinait qu'elle était bien avec moi. J'étais tellement occupée que je ne prenais pas soins de ma santé. Un beau jour, je me suis décidée à être à l'écoute de mon corps. J'ai pris un rendez-vous chez mon médecin. Une amie est venue me chercher en voiture, les enfants se sont assis sur les sièges arrière. Il y avait beaucoup de neige sur le chemin de la Petite Rivière-Sud. Je regardais en avant lorsque j'ai vu un gros camion foncer sur nous. Je le voyais de plus en plus près de nous... Et vlan, le choc fut terrible. Ma tête percuta le pare-brise et une partie de mon corps s'effondra sur le tableau de bord. J'étais étourdie et je me sentais très mal. J'entendais mes amours pleurer et crier.

À l'hôpital, j'ai dû passer des radiographies. J'avais une luxation majeure aux niveaux cervical et dorsal. Je me suis retrouvée dans l'obligation de garder le lit pour un mois, couchée sur le dos! J'ai renoncé à mon engagement de garder Elizabeth. Mon petit bonheur m'avait lâché. J'étais couchée sans rien faire. Je trouvais ça difficile, mais je gardais mes douleurs pour moi. Martin avait bien de la peine de me voir malade. Nous étions dans une situation lamentable, j'avais besoin d'aide à la maison! Nous avons regardé dans les journaux pour trouver une bonne à tout faire. Nous en avons finalement déniché une et nous l'avons engagée. J'ai eu beau lui donner des recettes bien simples, elle ne répondait pas à nos attentes! Nous l'avions très vite congédié, et nous en avions engagé une autre.

Un soir, Béa est arrivé pour le souper, il s'est aperçu que la bonne était en train de récupérer des pâtes tombées dans l'évier. Il avait son voyage! Il lui a remis l'argent dû, disons gagné et la congédia sur-le-champ. Il est ensuite venu me voir à la chambre et m'a dit: « Je vais faire le souper, donne-moi la recette de macaroni! » Avec toute sa bonne volonté, il a fini par me préparer des bons plats. Martin, de son côté, semblait trouver le temps long. Je l'apercevais souvent caresser Kikine, notre chienne.

Ma cousine Lise a appris que j'étais clouée au lit et aimablement, elle m'a offert son aide. Nous l'avons bien appréciée, car elle s'occupait de Martin. Le soir venu, elle lui montrait les étoiles et lui apprenait leurs noms. Elle lui enseignait les différentes sortes de pierres précieuses. Aujourd'hui, elle est devenue une des rares capitaines de bateaux au Canada!

Après plusieurs visites chez le médecin, ce dernier m'a annoncé que tout était rentré dans l'ordre. « Vous êtes en forme, faites des promenades et reposez-vous! » Le côté positif de cet accident c'est que mon mari est devenu un bon chef cuisinier et un homme à tout faire. Moi, j'ai eu des séquelles pendant plusieurs années, mais j'avais autres choses à m'occuper!

Je me trouvais chanceuse d'avoir Martin pour partager mes projets. Nous lui avions conseillé de s'inscrire dans une équipe de hockey, comme ses frères. Ce qu'il a fait, mais dès la première partie, Martin n'est pas heureux.

Il était plus souvent assis sur le banc. Ça n'aura été qu'un projet! Après deux saisons, il a décidé de laisser tomber le hockey.

Un jour, nous avions reçu une invitation pour un vernissage à Saint-Eustache. Martin nous y avait accompagnés. Nous étions en extase devant les toiles. Les peintres étaient présents et nous pouvions partager nos impressions avec eux. À son oreille, je lui ai demandé: « Est-ce que tu aimerais suivre des cours de dessin? » Dans ses yeux, j'ai vu l'étincelle de l'affirmation. En discutant avec le professeur, nous avons appris que le prochain cours pour débutants était prochainement. Le nom de Martin fut ajouté à la liste. Nous en étions tous fiers. À tous les samedis avant-midi, Martin était présent à ses cours. Son professeur le trouvait talentueux. Après avoir appris les techniques, il se mit à l'œuvre et découvrit une passion pour le dessin. En grandissant, il nous a confirmé sa passion pour les arts. Martin a finalement fait son Cégep en graphisme et il a poursuivi à l'UQÀM, où il a obtenu son baccalauréat en design graphique. Il a travaillé un bon bout de temps comme travailleur autonome et il ne manquait pas d'ouvrage. Il oeuvre maintenant dans une agence de publicité comme designer graphique. Il est comme moi: « Tout ce qui mérite d'être fait, mérite d'être bien fait! »

Comme nous aimons fêter, nous avons décidé de préparer une fête champêtre pour l'été qui approchait. La fête des Moreau. La famille est éloignée et dispersée, une fête comme celle-là allait nous donner la chance de tous nous rencontrer. De bouche à oreille, nous passions le mot. Six mois avant la tenue de l'événement, nous fixions la date: le samedi 24 juin à la fête de la Saint-Jean.

Je notais mes idées dans un cahier, car je ne voulais rien oublier. Je pensais aux enfants, je voulais qu'ils aiment cette fête. J'avais demandé à François et à Martin de me fabriquer une grosse tête de cochon, histoire d'avoir une mascotte pour la fête. Je leur avais fait confiance, car ils étaient talentueux dans ce domaine. Ils ont préparé la forme avec du papier-journal et de la colle. Une couche par jour. Il devait bien laisser sécher. Ce travail a pris deux semaines! Ensuite, nous l'avons peinte et elle avait fière allure! C'est Martin qui a eu l'honneur de la porter.

Vers la fin de la soirée, nous avons fait un feu d'artifice, c'était une création artisanale de Martin. Ces feux étaient préparés avec de la laine d'acier et du papier journal. Tout ce travail pour que nous puissions s'extasier. « La vie est un cadeau, il suffit de savoir l'emballer! »

Quelques jours avant la fête, Béatrix et Denis ont visité les porcheries avoisinantes. Vers la fin de la soirée, ils sont revenus ravis de leurs achats. Les deux petits cochons avaient été réservés. La veille du festin, ils sont retournés les chercher. Pendant ce temps, je m'occupais de faire bouillir l'eau qui allait servir à bien les nettoyer et à enlever tous leurs poils. Nous étions heureux de préparer cet événement. François s'occupait de la musique et des lumières multicolores. Martin préparait le feu de camp. Rien ne manquait et je demandais au

Seigneur de nous donner une belle température.

Le jour de la fête, je me suis levée en forme. J'avais du soleil dans les yeux. J'avais beaucoup à faire, j'étais au septième ciel. Nous avons installé les tables que nous avons ensuite recouvertes d'une nappe décorative. Un bouquet de fleurs des champs était déposé au centre de chacune. Il fallait s'occuper d'avoir des bancs pour asseoir nos invités. Après avoir farci nos deux petits cochons, nous les avons installés sur une broche au-dessus d'un bon feu de bois d'érable. Je ne m'inquiétais pas de la réussite du méchoui parce que nous avions plusieurs chefs. Béatrix, mon beau-frère Léo Patoine, les cousins: René, Jacques et Jean.

Tout en préparant les derniers plats, je me suis aperçue que les invités commençaient déjà à arriver. Les familles approchaient avec des bons plats, certaines avec des fleurs, les suivantes avec du vin... C'était l'abondance! Plusieurs avaient parcouru six heures de route pour se rendre chez-nous. Ils arrivaient de Laurence, aux États-Unis et d'autres de Saint-Benoît de Packington. Ils étaient tous en forme, c'était la fête. J'avais invité mes voisins car le festin risquait de se terminer très tard! Après avoir reçu l'accolade de mon neveu Germain, il m'a installé un beau bouquet de corsage. Il venait souvent à la maison pour travailler avec son oncle Béa. Il était toujours le bienvenu.

Nous avons pris l'apéritif tout en mangeant des crudités. La grande table présentait des plats de salades diverses et de corbeilles de pain. Béa était vêtu de son sarrau et de son chapeau de circonstance, il nous a servi la bonne chair si longtemps attendue. Du bon vin complétait le tout et nous parlions de plus en plus fort. Toutes les histoires nous intéressaient. Après avoir bien mangé, nous avions dansé pour garder la forme.

Un son de cloche s'est fait entendre. François avait choisi la plus grosse de ma collection, de cette façon, il était certain d'être entendu. Il s'installa au micro et nous invita, Béa et moi, à nous approcher. Tous les invités nous entouraient. Nous étions le point de mire, que se passait-il? François a commencé par nous remercier pour la fête si bien organisée. Il s'approcha ensuite et nous a remis une enveloppe que nous avons ouverte et lue ensemble. Nous y avons lu: « Invitation pour le vingt-cinquième anniversaire de mariage de Béatrix et Denise. » J'étais toute surprise, les larmes de joie coulaient sur mes joues. Béa était tout ému et resta bouche bée. Il alla se promener entre ses pommiers, histoire de faire baisser sa pression... Les applaudissements étaient à l'honneur. J'avais pourtant questionné maman sur le sujet. Elle m'avait répondu: « Denise, tes enfants n'ont pas d'argent pour vous fêter! » J'étais déçue car j'aimais bien les fêtes et je me disais que vingt-cinq années de dévouement, ça se fêtait. Pour une fois, maman m'avait menti, mais c'était un mensonge heureux, un secret. Je lui ai vite pardonné.

Les émotions passées, la fête a continué de plus belle. Nous avons dansé jusqu'à quatre heures du matin. Après s'être reposés quelques heures, la levée du corps a été cruelle! Nous avions un bon déjeuner, de bonnes rôties sur la braiser

Avec mes fameuses
couettes !

Fièrement photographiée avec
ma marraine Yvette.

Photo de famille prise au pied du mont Royal, à Montréal,
près du monument de Jacques-Cartier.

Photographie prise chez *Photo Modèles*
lors de ma première communion.

J'aimais me costumer,
me voici en clown.

Ma sœur Marguerite et mon frère
Lionel qui remportaient le trophée
des jeunes découvertes.

Me voici postulante.   Mère Marie-Rose

La journée que j'ai été reçue novice.
Me voilà Sœur Lucille-Marguerite.

25e annivaire de mariage.

En compagnie d'un autre greffé.

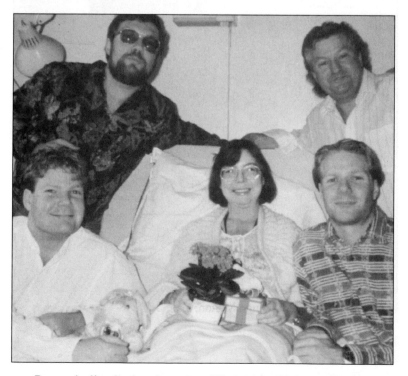

Peu après l'opération, heureuse d'être entourée de ma famille.

Avec mon nouveau coeur, je me sens
comme à vingt ans. Noël 1998.

Mon rêve réalisé de porter mon petit fils dans mes bras.

À la pêche avec mon petit Alexis.

Que c'est beau la vie. St-Jovite, juillet 1997.

du feu de camp. Avec mélancolie, la parenté nous saluait et repartait. Il y a un temps pour s'amuser et un temps pour travailler... La fête des Moreau a eu lieu pendant huit ans. Aujourd'hui, nous nous rencontrons à d'autres occasions.

Saint-Jovite, Lac Maskinongé

En 1988, Béa est arrivé avec tout un projet. Il avait l'intention de vendre notre maison de Saint-Eustache. « Il ne faut pas s'attacher aux biens de la terre », disait-il. J'étais quand même surprise, après avoir tellement travaillé. Douze belles années passées, que de bons souvenirs.

Nous songions à s'installer dans les Laurentides. Possédant déjà un chalet dans cette région, l'endroit n'était pas inconnu. Nous avons décidé de faire une balade dans le Nord, nous allions à Saint-Jovite. Passant devant le chalet de Maurice Durocher, un ami, nous avons remarqué une pancarte « À VENDRE » sur la façade de sa maison d'été. Nous étions surpris et bien énervés de trouver cette offre. De retour à la maison, Béa lui a téléphoné. Étant tous deux de bons amis, ils étaient bien à l'aise pour parler d'affaires. Béa les a invités à souper. Maurice et son épouse Claire ont accepté l'invitation. Je leur avais préparé un bon repas, tout en portant une attention particulière aux plats que je cuisinais.

Prenant le repas, nous avons discuté d'affaires. C'était un couple formidable, fiable et plein de bons sens. Maurice se voyait dans l'obligation de vendre à cause d'une maladie. Les conditions d'achats étaient acceptables. C'était un super

Maurice, nous sommes bien peinés qu'il nous ait quitté si jeune.

J'étais un peu mélancolique en pensant à ce que j'allais perdre en quittant St-Eustache. J'allais m'éloigner de mes amies et de ma famille, de maman, de mes frères et de mes sœurs. « Qui prend mari, prend pays! »

Martin formait un bon trio avec Luc et Caroline, les enfants de nos voisins. Ensemble, ils ont grandi et ils se sont bien amusés. Pierre et Suzanne, leurs parents, mettaient beaucoup de temps à organiser des jeux pour les jeunes. Chez eux, Martin était toujours le bienvenu. Je ne m'inquiétais pas de le voir chez les Lessard. Malgré notre éloignement, nous avons toujours le bonheur de les rencontrer à l'occasion.

Je songeais à suivre un cours de conduite. Avec mon arrivée prochaine à St-Jovite, conduire allait être indispensable. Sans laitier ni boulanger, il faudrait que j'aille chercher nos produits essentiels au village. J'avais un tempérament nerveux, je me questionnais sur mes capacités à réussir mon cours. En allant me faire coiffer, j'en ai parlé avec ma coiffeuse qui m'a dit qu'elle me présenterait un bon professeur. Il était assurément patient et calme. Mes fils m'ont encouragée, je me suis donc décidée à rencontrer le professeur. C'était un gros effort, mais je suis très heureuse aujourd'hui de m'avoir fait ce beau cadeau. Je désirais maintenant posséder ma propre automobile.

Nos désirs se sont réalisés! Nous avons acheté le gros chalet de deux étages de Maurice. Nous en avons profité durant un été, mais l'été suivant, nous devions le démolir pour construire notre maison. Tout se déroulait comme prévu.

La famille avait bien hâte d'être arrivée au vendredi pour monter dans le Nord. Durant la semaine, je préparais mes menus. Je voulais être prête pour nourrir mes travailleurs pendant la prochaine fin de semaine. Entre temps, nous avons acheté un petit camp. C'était bien différent de ma grande maison. Il fallait bien que je passe par cette étape. Le contrat de fondation fut donné et lorsque les travaux ont été bien exécutés, Béa et les garçons ont commencé la construction. Je mettais mon grain de sel, car je voulais une cuisine ensoleillée et je désirais que ma salle à manger soit face au lac. Désirant avoir des bons résultats de mes travailleurs, je leur préparais ce qu'il y avait de meilleur. Tous étaient à l'heure pour les repas. Je prêtais l'oreille à leurs conversations et j'apprenais tout ce qui pouvait se passer sur le chantier. La taquinerie était de la partie.

Certain week-end, je devais doubler la quantité de nourriture, car les cousins et les amis venaient aider à la construction. Le repas terminé, les ouvriers retournaient au travail en me disant: « Merci Denise pour le bon repas et fais que le prochain ne retarde pas! » Tous étaient de bonne humeur. Les travaux de construction se sont terminés et nous pouvions enfin entrer dans notre maison en septembre, à la fête du travail.

Notre maison est située entre le lac et la montagne, c'était le paradis et ce l'est toujours. Nous faisions partie d'un clan: les nièces et les neveux de Maurice. Hélène. Richard qui était moustachu. Nous l'avons baptisé « Moustache ». Diane et Jacques notre conseiller pour nos petits bobos. Vu sa profession de pharmacien, nous l'avons surnommé « Pilule ». Hélène et Diane étaient « Les deux déesses ». Il y avait aussi Gaby, la sœur de Maurice, qui était très attachante. C'était pour nous une nouvelle famille.

Le départ de maman

Il m'arrivait parfois d'avoir le cafard, je me sentais loin de ma mère. Deux à trois fois par semaine, je lui téléphonais. C'était un grand plaisir pour nous, mais je devais attendre que son *programme* de télé soit terminé. Maman se répétait plusieurs fois pendant la conversation. Je l'écoutais quand même. Nous étions bien proches l'une de l'autre: loin des yeux, mais non loin du cœur. Maman habitait Montréal et parfois, Béa et moi allions la rejoindre pour le souper. J'avais préparé tous les aliments requis pour nous préparer une fondue. Je l'avertissais de ne rien préparer, car j'allais m'occuper du repas. Elle me répondait: « Penses-tu que je n'ai rien à manger? » Maman se réjouissait de notre arrivée. C'était un plaisir, car notre arrivée tuait sa solitude. La soirée terminée, elle nous remerciait et nous disait: « Vous partez déjà? » Durant sa perte d'autonomie, nous l'aidions tour à tour. Mes sœurs et moi, nous lui accordions deux jours par semaine. En arrivant chez elle, je m'offrais de lui aider pour faire sa toilette. Par orgueil, maman refusait mon aide. Assise dans sa berceuse, elle me regardait de ses grands yeux et me disait: « Viens donc t'asseoir, tu vas te fatiguer! » Ce n'était pas mon travail qui m'épuisait, mais de la voir décliner me chagrinait. Les repas préparés et le ménage terminé, je m'approchais d'elle. J'aurais aimé qu'elle me parle, mais maman était plutôt silencieuse et songeuse. Ses traitements de chimiothérapie l'ont exténuée. Elle était dans l'obligation de porter une perruque. Ses joues n'étaient plus rosées comme autrefois, car elle n'avait plus la force de se maquiller. Mais pour moi, maman était la plus belle du monde.

Pour lui procurer du bon temps, je lui parlais de nos ambitions. Surtout celles de ses petits-fils. Elle m'écoutait religieusement et me disait: « Fais-leur confiance. » D'un air triste, elle m'a dit: « Denise, j'ai peur de mourir. » Ce à quoi j'ai répondu: « Tout le monde veut aller au ciel, mais personne ne veut mourir… Ayez confiance, je crois que vous l'avez gagné. » J'avais les yeux qui roulaient dans l'eau et j'avais mal en dedans. Je lui ai conseillé de se reposer un peu.

Nous sommes partis pour le bas St-Laurent pour visiter la famille et pour fêter le jour de l'an. Le deux janvier, nous avons reçu un appel téléphonique qui nous annonçait l'hospitalisation de maman. Nous sommes repartis à toute vitesse pour l'Hôtel-Dieu de Montréal. De retour de notre long voyage, je suis entrée dans la chambre de maman. Elle était entourée de mes frères et sœurs. Mes yeux se sont dirigés vers maman. Elle était couchée sur le dos et était comateuse. C'était plus fort que moi, je lui ai crié: « Maman, c'est Denise! » L'infirmière m'a fait signe de ne pas hurler. J'ai dit quand même à maman que je l'aimais. Ses paupières ont bougé. Elle m'avait entendue. Je suis sortie de la chambre pour pleurer à mon aise. Maman a rendu l'âme le trois janvier 1990, à cinq heures du matin. Elle m'a laissé en héritage, son amour et son courage. Je l'ai perdue, mais je la sens encore près de moi… Elle a seulement traversé le chemin.

* * *

À St-Jovite, je prenais des marches librement sans être dérangée par les autos. Tout le long de mon parcours, j'apercevais des bouleaux, des érables, des trembles, des sapins et j'entendais le gazouillement des oiseaux. C'était pour moi un bonheur quotidien que je me procurais. La marche, c'est la santé! Tout en parcourant le chemin, je regardais sur les boîtes aux lettres le nom des résidents qui y était inscrit... question de connaître le nom de mes nouveaux voisins. Pour les inconnus, j'allais les rencontrer à la Fête du lac au mois d'août.

Martin s'apprivoisa rapidement à sa nouvelle polyvalente. Il a fait son chemin et y a terminé l'année avec succès. Le Club Richelieu s'occupait beaucoup des jeunes et Martin fut nommé l'étudiant de l'année. Le club lui a remis une bourse de deux cents dollars, il l'a bien méritée. Nous avons eu un bon souper à l'hôtel de Saint-Jovite et il a fait la une du journal local.

Durant ses vacances d'été, Martin avait un emploi chez

Saint-Hubert. Il se faisait des sous et il aimait y travailler. Bientôt il allait débuter son secondaire cinq avec autant de bon vouloir. Il s'impliqua aussi, après ses cours, dans la danse et la musique. Après une de ses soirées, il m'a téléphonée pour que j'aille le chercher. J'avais une *Chevrolet* 1976 que mon beau-frère Jean-Paul m'avait vendue deux cents dollars. J'en étais bien satisfaite, car je pouvais aller à mes affaires. Donc, me voilà sur le chemin en direction de la polyvalente. Je me suis aperçue que je m'étais trompée dans le trajet, je suis entrée dans le stationnement d'un bloc à appartements pour faire demi-tour. Il y avait beaucoup d'autos. J'ai reculé et j'ai entendu un bruit sourd. Je suis sortie de l'auto pensant avoir accroché une voiture. Je me suis rendu compte que j'avais touché une bordure de ciment! De retour sur la route, j'ai retrouvé le bon chemin. J'entendais toujours ce bruit étrange. Je me suis arrêtée et j'ai regardé sous la voiture, inquiète. Je n'y voyais rien. Arrivant à la polyvalente, Martin m'attendait, accompagné d'autres étudiants. Je les voyais me regarder d'un air moqueur, ils avaient entendu mon arrivée! Martin monta dans l'auto. Nous avons roulé un petit bout de chemin, le fameux bruit continuait de nous suivre. « Martin, veux-tu regarder ce qui se passe! », lui ai-je demandé. Il est sorti de la voiture et est revenu avec une barre de métal qui s'était décrochée lorsque j'avais frappé la bordure de ciment. J'étais bien en peine et je ne voulais pas parler de mon mauvais coup à Béa. En arrivant à la maison, Martin a dit à son père qu'il devait acheter une auto neuve, car la *Chevrolet* perdait ses morceaux... Je l'ai tout de même conduite pendant deux ans. Je me sentais en sécurité, c'était une grosse voiture. J'avais l'impression que les autres conducteurs en avaient peur. Ils étaient fort polis envers moi!

J'ai décidé d'être membre de l'AFÉAS (Association Féminine, Éducative des Actions Sociales). J'avais l'occasion de me faire de nouvelles amies. Nous étions une centaine de femmes et à chaque troisième mardi du mois, c'était la réunion. Le conseil était dynamique. Des groupes de dix personnes étaient formés afin de discuter des droits des femmes.

Vu mon grand dévouement durant la préparation d'élections, les amies m'ont demandé de me joindre au conseil. Il y avait différents postes, mais je me posais toujours la même question: « Suis-je assez talentueuse? » Encore une fois, je me suis surpassée. J'ai travaillé durant quatre belles années avec des femmes bien sympathiques. J'étais très timide, mais je devais expliquer aux femmes les sujets à traiter et les dossiers à travailler. Parfois je faisais des gaffes, je passais à travers avec un peu d'humour et toute l'assistance se mettait à rire.

Je m'occupais des anniversaires de naissance. Au début de chaque mois, j'examinais ma liste de noms. J'adressais mes cartes avec amour et je les envoyais quelques jours à l'avance pour que la famille de la fêtée ne l'oublie pas! Parfois, une me disait qu'elle n'avait pas reçu sa carte, l'adresse était peut-être inexacte. J'avais pourtant fait mon gros possible! J'ai aussi donné des cours de bricolage, ça m'amusait beaucoup. Étant dans le conseil, j'ai eu la chance de découvrir des beaux villages qui m'étaient inconnus. Nous avions nos journées de formation et de perfectionnement qui suivaient à la lettre le programme de l'année. J'aimais bien ma présidente Madame Léone, elle ressemblait à ma grand-mère Laura avec sa gentillesse. Elle m'appelait « Sa petite fille », ça me faisait un petit velours. Sans oublier Louise et Madeleine qui étaient bien gentilles. Je me suis retirée du conseil à cause d'un problème de santé. Je suis fidèle à mon association et j'espère que les femmes auront la curiosité de s'impliquer. Elles pourront alors constater tout ce qui nous tient à cœur et comment elles pourront s'épanouir tout au long de leur vie. « Ce que femme veut, Dieu le veut! »

* * *

J'étais la reine du foyer. Un jour à la fois, je décidais de jouir de ma nourriture, de mon travail et de mes loisirs. J'ai joint une ligue de quilles. C'était tout nouveau pour moi, mais avec mon vouloir, je savais que j'y arriverais. Une fois la semaine, je me rendais au Lac Carré avec mes amis: Ronald et son épouse Pauline. Ils étaient bien gentils. Cette activité me donnait l'occasion de connaître de nouvelles personnes. Ma capitaine était bien correcte avec moi, elle m'encourageait. J'ai fait des bons et des moins bons coups.

Le temps Pascal était arrivé. J'ai décidé de confectionner des suçons de sucre d'orge de différentes saveurs. C'était pour moi un bonheur de voir choisir mes amies entre le coq, le lapin, le poisson ou le trèfle. Il y en avait pour tous les goûts.

Une certaine journée de quilles, Ronald m'a téléphonée et m'a demandé si je pouvais aller les chercher car leur voiture était au garage. Je lui ai répondu que ça me faisait plaisir. J'étais fière de pouvoir montrer que j'avais un bon véhicule. De retour des quilles, je lui offre de prendre le volant pour qu'il prenne conscience de la performance de ma *Hyundai*. Ayant une petite commission à faire, Ronald m'a demandé s'il pouvait faire un détour. Je lui ai dit que j'avais tout mon temps. Ronald s'est engagé vers la gauche et il y eut un « Boom! » L'auto s'arrêta brusquement. Nous sommes sortis de la voiture pour constater les dégâts. Nous avions perdu une roue. J'étais énervée! Rapidement j'ai trouvé un endroit pour téléphoner et pour faire venir une remorque. Nous étions placés en plein milieu du chemin! Quelques minutes plus tard, la remorque est arrivée et l'auto a été remorquée au garage. Pauline, une amie, est venue nous reconduire à la maison. C'est encore Béa qui allait payer la facture. Une femme de maison n'a pas de salaire... mais je le lui rendrai bien.

La semaine suivante, toutes mes amies avaient eu vent de l'histoire et me taquinaient. J'ai aimé jouer aux quilles durant quatre années et j'aimais la complicité du groupe. Il y régnait de l'amitié. C'est avec beaucoup d'efforts que j'ai terminé la dernière année. On dirait que j'affaiblissais de plus en plus, la saison commençait à être longue.

Il n'y a pas de fumée sans feu

La vie continuait. « Denise, ne lâche pas la patate! » J'étais toujours optimiste. J'accomplissais de mon mieux mon travail à la maison, tout en prenant le temps de me reposer durant la journée. Dame nature, par son soleil me donnait des forces. J'avais aménagé un petit coin de la galerie à l'ombre de mon bouleau. Je m'y installais avec un bouquin, ce qui me permettait de m'arrêter un peu. C'était bien difficile pour moi de me stopper. Lorsque les enfants étaient jeunes, s'ils me voyaient assise et inactive, ils me disaient: « Maman, est-ce que tu manques d'électricité? » Mais aujourd'hui, j'aurais pu leur répondre que oui, j'étais en manque d'électricité!

En juin mille 1993, Béa n'avait plus que quelques jours à travailler puis il tombait en vacances. Pour la première fois, elles représentaient une certaine nostalgie. Nous avions toujours été d'accord pour les voyages, nous aimions visiter la famille et il y avait tellement de fêtes qu'on ne pouvait s'ennuyer. J'avais magasiné afin de me trouver un ensemble pour le cinquantième anniversaire de mariage du cousin et de la cousine Laurent et Lucienne. J'en étais bien heureuse, je voulais absolument y assister. Mais, je me questionnais... « Si je continue à être fatiguée comme ça, je ne pourrai pas assister à cette fête, je manquerai la croisière. »

Lors d'une journée chaude et humide, je me suis sentie mal. J'avais tout de même invité ma cousine religieuse Germaine et mon amie Denise que j'avais connue au pensionnat

Marie-Rose. Elles devaient venir passer deux jours au lac. Depuis un mois, je les attendais. Tout en préparant le dîner, je regardais à la fenêtre et j'ai entendu le claquement des portières d'auto. Je les ai vues arriver. Germaine était infirmière, elle pouvait oublier ses malades pour le week-end. Elles approchaient vers la maison, toutes heureuses de voir le lac et les petits oiseaux qui leur chantaient la sérénade. Denise était toujours bien mise, elle portait une robe de soie. Elle ressemblait à une poupée. Elle tenait dans sa main gauche un sac multicolore... « Ça doit être une surprise », pensais-je.

Je les ai gâtés avec de bonnes coquilles Saint-Jacques. Elles se sont vite aperçues de mon état. Germaine et Denise étaient mal à l'aise d'avoir accepté mon invitation. Je ne voulais pas la remettre à plus tard et tout s'est finalement bien passé. Pendant le dîner, nous avons parlé de nos souvenirs du couvent où Denise et moi avions les mêmes tâches à effectuer. On se parlait de ce qu'on détestait dans le temps et maintenant on pouvait en rire! C'était très bon pour le moral. Plus le repas avançait, plus mes forces et mon appétit diminuaient. J'étais inquiète, mais je ne voulais pas leur en parler. Nous avons eu, malgré mes faiblesses, un bon repas.

* * *

Je me sentais seule avec mes malaises malgré le support de Béa et des enfants. Je prenais la précaution d'écrire sur une feuille tous les symptômes que je ressentais. Je n'étais pas bien, j'étais malade. Je suis allée voir mon médecin, il était inquiet de me voir dans cet état. Il m'a remis des formulaires pour divers examens. C'était urgent!

Comme une grande fille, je me suis rendue avec mon auto à l'hôpital de Sainte-Agathe. Il était huit heures le matin et je savais que j'aurais une grosse journée. J'ai commencé par des prises de sang, puis les rayons X pour les poumons... Il fallait que je monte au troisième étage pour connaître l'état de mon cœur. Je regardais le fameux tapis roulant... Avant même de débuter mon examen, j'ai dit à l'infirmier que j'étais incapable de faire du tapis. Il m'a dit d'essayer. Je m'y suis installée, je n'avais pas de force et j'étais sur le point d'écraser.

Déjà quinze heures, tous les tests terminés, je pouvais retourner chez moi. J'étais abattue! J'avais hâte de voir les résultats. J'ai demandé à mon chum d'en haut de m'aider. Mon amie Hélène Barbe m'a téléphonée, car elle voulait savoir si mon retour à la maison s'était bien effectué. Elle m'avait rencontrée à l'hôpital le matin même et elle m'avait trouvée souffrante. Je l'ai rassurée en lui disant que j'étais bien revenue et que j'attendais les résultats de mes examens avec impatience. La vie continuait, je ne voulais pas en finir tout de suite. Plus tard dans la semaine, j'ai décidé d'aller faire mes emplettes au village. Avec ma petite *Métro*, j'étais bien fière. Comme j'aime marcher, j'ai décidé de laisser l'auto dans un stationnement et de marcher un peu. J'ai pris tout à coup conscience que j'avais de la difficulté à traverser la rue. J'avais peur de tomber à mi-chemin, car les forces me manquaient. J'étais triste de me voir perdre mon autonomie. J'ai décidé de ne plus aller magasiner. J'ai même arrêté de sortir, je trouvais ça trop épuisant. J'avais seulement cinquante-cinq ans! Je ne voulais pas ma vie soit déjà finie!

Un soir, Béa m'a dit que ça faisait assez longtemps que j'endurais. Il a décidé de ne pas entrer au travail. Dès huit heures le lendemain matin, nous partions pour l'urgence. Je m'étais assise dans un fauteuil roulant, n'ayant même pas la force de marcher jusqu'à l'entrée. J'étais à jeun pour mes prélèvements sanguins. Je trouvais le temps long. C'est seulement à quatorze heures qu'on m'a appelée.

Le cardiologue de garde m'a fait allonger sur une civière. Après quelques questions, il a pris ma pression artérielle. Mon pouls était anormalement lent. Il m'a installée à l'urgence où nous étions une vingtaine de patients. J'étais heureuse que l'on s'occupe enfin de moi. Chaque personne avait son bobo, la tristesse régnait.

J'étais maintenant sous observation, je me suis arrêtée de paniquer car je me voyais entourée de spécialistes. Le médecin est venu me voir pour m'apprendre que je faisais de l'emphysème. « Pourquoi moi? » J'avais très chaud et j'étais exténuée parce que mon cœur fonctionnait au ralenti. J'espérais que ça ne dure pas trop longtemps, car je voulais qu'on stabilise mon état au plus vite. Le matin, je surveillais la salle de bain et dès qu'elle était libre, j'allais prendre un bain malgré ma faiblesse. Je préparais ma serviette avec mon savon parfumé et ma poudre pour bébé. J'étais toujours propre pour recevoir mon médecin. Le choix de ma tenue n'était pas compliqué: toujours la jaquette bleue de l'hôpital! Durant deux jours, j'ai entendu la même musique... des lamentations sans fin, c'était déprimant! Malgré mes inquiétudes, je gardais un bon moral. Je recevais des appels téléphoniques de mes fils. C'était un plaisir de leur parler un peu. Je leur faisais croire que tout allait bien pour qu'ils ne s'inquiètent pas.

Un beau matin, l'infirmier s'est approché de moi et m'a dit qu'il avait une bonne nouvelle: « Vous déménagez au deuxième étage! » J'étais bien contente, j'allais avoir ma chambre avec une salle de bain privée! J'y ai placé mes articles de toilette avec soin. C'était très calme et c'était tant mieux… J'avais tellement besoin de repos. Durant la journée, je faisais des mots-mystères et tout se passait bien. J'asseyais de ne pas m'inquiéter. Après l'heure des visites, je prenais mes médicaments et puis c'était l'heure du dodo. J'avais décidé de laisser la porte ouverte, ce qui me sécurisait. Pendant la nuit, je me suis sentie regardée. En ouvrant les yeux, j'ai reconnu un des malades qui était à l'urgence au même moment que moi. Il était debout à la porte de ma chambre. J'ai été tout à coup affolée... Il rebroussa chemin sans dire un mot et j'ai refermé la porte. Le lendemain, une infirmière m'a dit que je devais changer de chambre, car une dame âgée arrivait bientôt. Sans rouspéter, j'ai rangé mes articles dans mon sac et je me suis préparée au transfert. Je n'avais pas signé de bail! On m'a installée dans une chambre commune, nous étions maintenant un groupe de quatre personnes. Trois femmes et un homme. En peu de temps, une amitié s'est développée entre nous. Malgré la maladie, j'avais encore le sourire. J'étais à leur écoute, oubliant mes propres bobos. Nous étions bien installés. Deux belles fenêtres panoramiques nous permettaient de voir notre visite arriver.

Le 15 juillet 1994, ce n'était pas une journée comme les autres. C'était notre trente-troisième anniversaire de mariage. Dès dix heures le matin, j'ai reçu par livraison spéciale, un magnifique bouquet de roses rouges. L'infirmière me l'a apporté en disant qu'elle savait pourquoi mon cœur était si malade... « Trente-trois ans avec le même homme! » Sur le coup, je l'ai trouvée méchante de parler ainsi. Je réalise maintenant, qu'elle voulait juste me faire rire un peu. De toute façon, je ne changerai jamais mon homme pour un autre.

Ce soir-là, Béa arriva tout souriant avec une autre surprise. J'avais de la difficulté à la déballer, mais Béa m'a aidée. C'était une belle montre. C'était important d'avoir l'heure, car chaque instant était précieux. J'ai demandé au bon Dieu de vivre encore plusieurs années avec Béa et ma famille que j'aimais tant.

J'avais des bons services de mon infirmière. Elle prenait ma température, ma pression et elle me donnait de l'oxygène au besoin. Je ne me plaignais jamais. « À chaque jour suffit sa peine. »

Nous étions en juillet. Mon désir s'est réalisé: j'avais mon congé. J'avais passé trois longues semaines à l'hôpital, ils ne savaient toujours pas exactement quel était mon problème de santé, mais j'avais mon congé. J'étais courageuse malgré tout et je ne voulais pas traîner de la patte. Ce n'est pas intéressant pour un homme d'avoir une femme malade. Je remarquais de l'amélioration. J'espérais que tout continuerais sur cette bonne lancée! J'avais un petit problème: Béa ne voulait pas me laisser seule à la maison. Moi, ça ne me dérangeait pas. Béa demanda à ma sœur Marguerite, qui y avait déjà pensé, de venir rester avec moi quelque temps. Pendant une semaine, nous avons parlé de nos meilleurs souvenirs d'enfance. Ce qui nous a permis de nous rapprocher l'une de l'autre. Assises côte à côte devant le lac, nous profitions de la belle température. Margot était inquiète de mon état de santé. Elle m'a demandé: « Denise, si le médecin te disait que ça te prend un nouveau cœur, que dirais-tu? » Je croyais qu'elle exagérait. Quelle question! « Une greffe! » Je lui ai répondu rapidement que je ne voulais rien savoir de ça!

Margot m'a dorlotée durant une semaine. Je n'aimais pas me faire servir, mais j'acceptais. Je voulais voler de mes propres ailes. Je lui ai dit qu'elle pouvait retourner chez elle en la récompensant pour son aide. J'étais bien encouragée par mes amies. Elles me visitaient et me gâtaient avec leurs surprises.

Béa travaillait de nuit et aimait cet horaire de travail. Le temps que nous partagions était limité. Je ne lui disais pas, mais je n'aimais pas son horaire. Durant la journée, je ne pouvais rien faire. Ni mon travail ni mes activités. Il fallait que je le laisse dormir. Je gardais mon travail pour le soir. Je me couchais le plus tard possible afin de pouvoir mieux dormir. Je n'aimais pas dormir seule. Je participais toujours aux rencontres de l'AFÉAS. J'étais toujours heureuse d'y rencontrer mes amies. Je faisais un peu d'artisanat et quand je manquais de tissu, Gisèle Brisebois me promettait de m'en procurer. Le lendemain soir, j'ai décidé de me rendre chez elle pour aller chercher le fameux tissu. Il pleuvait abondamment. Je me suis trompée d'entrée et en passant entre les deux murs de pierres, j'ai entendu un grincement. Je venais d'accrocher un des murs avec ma voiture. J'étais très malheureuse. Je suis retournée chez moi sans avoir passé chez Gisèle. En arrivant, j'ai pris ma lampe de poche et j'ai examiné l'auto. J'y ai découvert une longue égratignure. J'avais bien de la peine, ma voiture neuve était accidentée! Je ne pouvais pas dormir; je me consolais tout de même en me disant que ça aurait pu être pire. Béa est arrivé de travailler et je lui ai raconté ma mésaventure. Il m'a dit que ce n'étais pas grave. « Occupe-toi de la faire réparer! » Le lendemain, je me suis rendue à l'atelier de peinture. J'ai demandé une estimation, que j'ai reçue en peu de temps. Les frais de réparation s'élevaient à deux cents dollars.

Depuis ce petit accrochage, je fais tout pour éviter de reculer!

* * *

J'ai reçu un appel téléphonique de belle-maman. Je devinais son inquiétude envers ma santé. Elle avait quatre-vingt-douze ans et c'était une femme au cœur d'or. Malgré la distance qui nous séparait, je me sentais proche d'elle. Je la rassurais en lui disant que j'étais en pleine forme... C'était un mensonge heureux! Sa voix tremblante m'a rappelé que ses jours étaient comptés. J'étais très émue de lui parler. Elle m'avait conseillée de bien prendre soin de moi.

Je me suis aperçue que toute la famille pensait beaucoup à moi. Ils étaient tous inquiets. Je reçus une lettre de reconnaissances de ma nièce Lorraine pour des services déjà rendus. J'en était très touchée.

Je n'étais plus la même. C'était déjà l'automne. Les feuilles tombaient, mais je ne pouvais comme autrefois ramasser celles-ci. Je demandais encore et encore à mon chum d'en haut de me donner le courage d'accepter les choses que je ne pouvais changer.

Il ne faut pas négliger nos conserves. C'était une bonne habitude que nous avions de préparer nos marinades. Béa aime bien les cornichons à l'aneth. Il acheta ses cornichons et s'installa pour les nettoyer. Moi, je préparais le vinaigre et les assaisonnements. La tâche terminée, nous en étions très fiers. Le lendemain, c'était au tour du bon ketchup rouge. Pour terminer le week-end en beauté, nous préparions les betteraves qui accompagneraient le ragoût de boulettes. C'était beaucoup de travail, mais c'était si bon.

Une fois par semaine, je me rendais au CLSC pour une prise de sang. L'infirmière avait de la difficulté, car j'avais les veines fuyantes. Je leur faisais toujours confiance en leur disant qu'elles étaient capables et que c'était pour bien aller. La confiance m'a accompagnée tout au long de ma maladie. Ayant des problèmes cardiaques, il fallait que mon sang soit en bonne condition.

Béa avait finalement repris son travail de jour, c'était un bon changement. J'étais sage, j'étais plus souvent couchée. De toute façon, je n'avais pas d'énergie pour faire autre chose. Un soir, je suis partie avec Béa pour une visite chez le médecin. Il a pris ma tension, elle était très basse et mon cœur ne battait plus qu'à 20 %. Ce n'était pas beaucoup! Le médecin nous a annoncé qu'il me faudrait un nouveau cœur dans les prochaines semaines. J'avais bien compris, mais je n'en croyais rien. Je ne réalisais pas que j'étais si gravement atteinte. J'étais inquiète, qu'allais-je devenir? La vie est terminée pour moi! Il examina la liste énumérant les douleurs que j'avais notées quotidiennement. Le médecin téléphona à l'hôpital. « C'est urgent! » Le cardiologue en service lui annonça que j'étais attendue.

Nous étions partis sur-le-champ en direction de l'hôpital de Sainte-Agathe. En arrivant, le cardiologue m'a examinée. Sans plus attendre, il me trouva une place à la salle d'urgence. Je me sentais très petite dans mon coin tout près du bureau central. Je voyais tout ce qui se passait. Les infirmières travaillaient beaucoup car les malades exigeaient une foule de soins. Les journées étaient longues. Couchée sur une civière, le peu de graisse qu'il me restait était loin de me servir de coussin! Mes os faisaient mal, c'était l'enfer! Les nuits étaient mouvementées. L'ambulance arrivait régulièrement avec son cri énervant. Nous étions en pleine saison de ski. Une jeune fille fit son entrée en pleurant et en se lamentant. Elle avait la cheville fracturée. Ses cris m'ont fait sursauter dans mon lit, ce n'était pas de tout repos! Nous étions en décembre 1994.

De jour en jour ma patience diminuait en même temps que ma santé. Après avoir passé une nuit blanche, j'ai pris une serviette de papier et j'y ai inscrit que j'étais écœurée. Les infirmières ont lu cette déclaration avec discrétion et dès le lendemain, j'avais ma chambre. J'avais passé seize jours à la salle d'urgence. J'étais heureuse de me voir dans une chambre. J'étais accompagnée d'une charmante dame de quatre-vingt-onze ans. Elle m'encourageait et me disait: « Ne vous inquiétez pas, ils vont vous soigner! »

Le 22 décembre. C'était enfin l'heure des visites. Béa est arrivé ce soir-là avec la mine basse. Il avait une mauvaise nouvelle. Il venait de perdre sa mère. Il avait bien de la peine et moi, je me trouvais prisonnière, je ne pouvais aller aux funérailles avec lui. Les larmes coulaient. Il fallait que je sois raisonnable une fois de plus. Je lui ai dit d'aller aux funérailles de sa mère et que moi, j'allais rester ici. Je n'avais pas le choix!

Nous approchions de la fête de Noël. Je n'avais jamais eu l'idée d'être hospitalisée la journée de Noël. Je n'étais pas la seule, ça me consolait. J'avais du chagrin en pensant à la perte de belle-maman, mais nous avions eu la chance de l'avoir durant plusieurs années. Je me remémorais les bons moments passés ensemble.

À quelques pas de ma chambre, il y avait un lieu pour prier l'Enfant Jésus dans sa crèche. Je m'y rendais pour méditer Je me préparais intérieurement pour la fête de Noël. Je demandais du courage et la force de continuer le combat.

Mon amie Lise était venue rendre visite à sa maman qui se trouvait tout près de ma chambre. Elle s'arrêta et me voyant dormir, elle laissa un cadeau sur ma table. À mon réveil, j'ai aperçu le cadeau. Je n'osais pas y toucher. Lise est revenue plus tard avec son sourire et ses drôleries. Elle est parvenue à me faire rire malgré mon chagrin. Sa visite pour moi était un cadeau, mais elle préférait m'en donner un autre... Elle était bien généreuse, c'est une femme très humaine. J'ai ouvert le sac avec curiosité, c'était une belle chandelle parfumée.

C'était Noël et c'était bien étrange cette année, c'était tranquille. La visite de mon frère Maurice m'a réjouie, le temps que nous avons passé ensemble fut bien agréable. Béa arriva, il avait fait un aller-retour. Son regard amoureux me rappelait ma jeunesse. « Quand j'aime une fois, c'est pour toujours ».

Je suis une personne qui aime beaucoup. Pour moi, les malades qui partageaient ma chambre étaient très importants.

J'étais toujours prête à leur rendre service. Je n'ai jamais pu rester inactive. Un grand nombre de patients souffraient en silence et souvent les visites se faisaient rares. Seulement un sourire de ma part leur donnait un peu d'espoir. J'ai enfin eu mon congé après vingt-sept jours. J'étais heureuse d'entrer chez moi, mais pas vraiment plus en forme. J'ai annoncé à ma compagne de chambre mon départ. Elle me suppliait de ne pas partir. « Ne me laissez pas! », me disait-elle. Je lui ai laissé des encouragements et un beau sourire. J'ai appris deux jours après mon départ qu'elle était décédée.

Le calme avant la tempête

« Fais du feu dans la cheminée, je reviens chez nous! » J'étais autonome malgré mon état de santé. Béa, à l'aide de mes garçons avait redécoré ma chambre. Une toute nouvelle teinte que j'appréciais beaucoup. Pour la finition, ils ont installé une bordure de bouquets de fleurs. Je passais des heures et des heures dans mon lit, mais ma chambre me redonnait un peu la joie de vivre.

C'était le premier de l'an 1992. La journée s'annonçait tranquille, mais j'étais avec celui que j'aimais. La famille avait décidé de ne pas venir pour ne pas me fatiguer. J'avais accepté leur décision. J'ai reçu tout de même des appels me souhaitant les meilleurs vœux de bonheur et de santé. Je crois que j'étais en train de perdre cette dernière. Mais la foi peut transporter les montagnes!

Lise m'a téléphoné. Elle nous invitait à prendre le souper du Jour de l'an avec sa famille. Je n'y croyais tout simplement pas. J'étais bien surprise, mais j'ai accepté en l'avertissant que je ne pouvais pas veiller tard. Je me suis reposée avant de partir. En arrivant, les vœux se sont échangés. Lise et Pierre m'avaient réservé le meilleur fauteuil près du foyer. Après avoir dégusté un apéro, un tout petit pour moi, nous avons échangé nos cadeaux du nouvel an. Je me sentais choyée d'être entourée de mes bons amis, à ce moment précis où je me voyais perdre toute ma vitalité. Je profitais un jour à la fois de ma vie, car je me demandais combien de temps il me restait à vivre. Après avoir bavardé et bien mangé, nous sommes retournés à la maison le cœur plein de joie. Je réalisais que Lise était une vraie amie. Mon honnêteté m'a toujours attiré des bonnes amies. J'avais toujours caché ma soif d'aventures, mon côté pétillant... C'est avec mes complices que j'ai réussi à sortir ces facettes de moi qui étaient moins connues.

Je m'apercevais que plus rien n'allait. J'avais mal à tout mon corps et à tout mon être. Je n'osais pas me plaindre, mais mes proches semblaient s'inquiéter. Béa ne voulait pas me laisser seule durant la journée. Il téléphona à sa sœur Jeanne d'Arc et lui demanda de bien vouloir rester avec moi, car j'étais de plus en plus malade. Son désir fut accompli, car Jeanne d'Arc désirait depuis longtemps venir m'assister. Pour elle, c'était un plaisir de me rendre service. Elle avait l'expérience, elle a déjà été aide-infirmière à l'Institut de Cardiologie de Montréal. Elle arriva en autobus.

Je ne me sentais pas bien. J'avais de la difficulté à respirer. Me souvenant ce que ma sœur Margot m'avait dit: « Denise, ne te laisse pas souffrir, prends l'ambulance et rends-toi à l'hôpital. » Je ne voulais pas déplaire à Jeanne d'Arc, parce qu'elle venait tout juste d'arriver. Toute ma vie, je n'ai pas voulu déplaire à personne. Béa et Jeanne d'Arc se sont consultés et ont décidé de faire venir l'ambulance. Je paniquais. L'ambulancier est arrivé et a pris la précaution de me donner de l'oxygène. Maintenant en route vers St-Agathe. Je trouvais le trajet long. J'étais en grande panique, l'infirmière devinait mon angoisse. Elle me rassura en me disant que dans quelques instants nous serions arrivés à l'urgence. Je priais pour que ça ne soit pas la fin pour moi. Je ne voulais pas laisser tomber Béa et ma famille...

Dès mon arrivée, j'ai été examinée par le cardiologue et le diagnostic fut vite rendu: c'était une insuffisance cardiaque. J'étais songeuse, j'avais l'impression que tous les médecins pensaient que c'était terminé pour moi. J'ai reçu la visite de mon médecin de famille, qui à l'aide du cardiologue, décida que je devais être transférée à l'Institut de cardiologie de Montréal. Le soleil brillait enfin pour moi. J'étais soulagée car je partais vers un endroit spécialisé dans les maladies cardiaques.

Il était six heures et c'était l'heure de pointe. Les nombreuses voitures et le bruit des klaxons m'énervaient, mais l'ambulance faisait son chemin prudemment. J'ai laissé échapper un long soupir en apercevant l'Institut. J'ai été transportée à l'entrée principale. Après m'être fait identifiée, j'ai reçu le numéro de ma chambre.

L'infirmière m'a reçue gentiment. J'étais déjà attendue en radiographie pulmonaire et par la suite, à l'électrocardiogramme qui nous permettrait de diagnostiquer les affections du myocarde et les troubles du rythme. À toutes les trente minutes, l'infirmière prenait ma pression et ma température. Elle m'a donné l'horaire de la journée du lendemain tout en prenant soin d'attacher au pied de mon lit une carte sur laquelle était inscrit « à jeun. » Après avoir pris mes médicaments, j'ai sombré dans un bon sommeil. Durant la nuit, j'ai entrevu l'infirmière qui utilisait une lampe de poche pour se diriger. Elle me surveillait continuellement. Je me sentais en sécurité. Dès huit heures le lendemain matin, l'aide infirmier moustachu est venu me chercher. Il me sconseilla de me coucher sur la civière et prit soin de me couvrir pour me garder au chaud. Il fredonnait des airs d'autrefois tout le long du long corridor. Ça me calmait. Les malades attendaient leur tour pour les examens. Nous avions le même désir: être un jour vainqueurs contre notre maladie. Nos regards inquiets se croisaient et sympathisaient.

De retour à ma chambre, l'infirmière me donna un *Jello* avec deux biscuits secs. C'était une collation avant le dîner. Je relaxais en pensant à ma famille. J'espérais de bons résultats d'examens. Ces derniers allaient permettre aux médecins de prendre la bonne décision face à mon avenir. Ma voisine de chambre a eu son congé. À l'aise avec elle, je lui ai souhaité bonne chance. Je me demandais qui la remplacerait. Ça n'a pas été long que j'ai su! Un mâle! Je ne savais pas que j'avais à partager ma chambre avec un homme! Son regard était étrange. Ses yeux étaient vitrés et il m'énervait. Je me consolais en me disant que je n'aurais qu'à fermer le rideau de moitié.

À tous les jours, j'étais visitée par celle qui s'occupait de la télévision. « Seriez-vous intéressée à louer la télé? », me demande-t-elle encore et encore. « Non merci, je veux me reposer! » Mais pour mon voisin, la télé était très importante. Il écoutait ses émissions de sport chaque soir et lorsqu'un but était compté, il criait tellement, que je bondissais dans mon lit. En plus, mon nouveau voisin chantait des chants morbides et des psaumes quotidiens tout en faisant sa toilette. Grâce à lui, chaque jour débutait de façon triste... Je n'étais pas bien en sa présence, mais je n'avais pas le choix. J'ai expliqué mes tourments à Béa et il m'a dit de faire une plainte au bureau. Mais non... je préférais endurer ma situation pour gagner ma guérison! Je me défoulais en écrivant quelques lignes dans mon journal quotidien.

À deux heures de la nuit, j'ai ouvert les yeux. Monsieur le co-locataire s'était installé, tout nu dans la porte. Il attendait une infirmière pour qu'elle puisse changer son lit... Il avait fait pipi! Il se retourna pour voir si je le regardais. J'ai posé immédiatement mon doigt sur la sonnette et l'infirmière est arrivée. Elle était toute surprise et elle lui a demandé ce qu'il faisait debout tout nu dans la porte. « J'ai mouillé mon lit. » L'infirmière, d'une bonté inexplicable, changea le lit en lui recommandant, la prochaine fois, de se rendre à la salle de bain. La nuit a été très courte. L'équipe de jour entrait déjà en action. J'ai reçu, comme à tous les matins, mes serviettes et ma jaquette. J'avais de l'aide pour faire ma toilette, car je manquais de force. J'ai finalement dis à mon infirmière que je ne voulais plus être dans cette chambre. Elle me demanda la raison de ma plainte... Je lui dis que l'histoire était trop longue à raconter, et que si elle voulait absolument la connaître, elle devait demander à l'infirmière de nuit. Après s'être informée, elle m'a trouvé une nouvelle chambre à quelques pas de l'ancienne. L'infirmière déménagea mes effets personnels et mes médicaments.

Dans ma nouvelle chambre, j'étais encore en présence d'un monsieur, mais en le regardant, j'ai constaté qu'il avait des airs de famille. Il ressemblait étrangement à mon beau-frère, René Lemay, le mari de ma sœur Rolande. Après s'être présentés et échangés quelques mots, je découvrais qu'il était le neveu de René! Il se nommait Régent Lemay. « Que le monde est petit! » J'avais du plaisir à discuter avec lui. Lorsque sa visite se présentait, je revoyais les belles-sœurs de Rolande. Je me remémorais des souvenirs...

À tous les soirs, Béa venait me voir. Il semblait inquiet et sa conversation n'était pas longue. Je n'avais jamais grand chose de nouveau. Il prenait le temps de me frictionner les jambes, ce qui aidait à diminuer la douleur. Il s'était aperçu que j'étais en train de fondre. Je n'avais plus que la peau et les os. Mais il était fort impressionné du courage avec lequel je me battais. Les infirmières venaient me voir sans avoir reçu d'appel. Elles étaient surprises, car je ne sonnais jamais. Je ne voulais pas les déranger. Je leur disais quelques mots qui les faisaient rire. Elles me disaient: « Madame Cormier, vous n'êtes pas comme les autres! »

Je me disais que mon état était grave, mais j'étais confiante et assurée que j'allais vaincre ma maladie!

Ma routine de tous les jours se déroulait comme ceci. Je me réveillais vers six heures. Je prenais ma débarbouillette, que j'avais pris soin de mouiller la veille au soir, pour me rafraîchir le visage et les mains. Je plaçais mes cheveux, car mes préposées arrivaient souvent très tôt. J'étais toujours craintive lorsque l'infirmière se présentait pour la prise de sang. C'était loin d'être agréable. Je constatais, par contre, que certaines infirmières étaient plus talentueuses que d'autres dans ce domaine...

Quelques minutes plus tard, j'entendais un bruit qui venait du corridor. L'infirmière arrivait avec le pèse-personne. Toute souriante, elle m'aidait à monter sur celui-ci. J'étais loin d'aimer le résultat! Mon poids diminuait de jour en jour, je ne pesais maintenant que 94 livres. L'infirmière avait lu l'inquiétude sur mon visage. D'un air sympathique, elle m'a souhaité tout de même une bonne journée.

Le lendemain, j'allais pour l'échographie. Conduite par une infirmière, j'arrivais à l'endroit voulu en un temps record,

Je me retrouvais allongée sur la table, à demi couverte et frissonnante. L'infirmière ajouta de la crème sur son instrument et avec une pression, elle le glissait doucement vis-à-vis le cœur, c'était très froid. Je ressentais du mal, mais je ne me plaignais pas. Après une heure sur le côté gauche, je me retournais maintenant sur la droite. Cette fois-ci, je pouvais regarder l'écran. Sur celui-ci, je croyais voir la mer en regardant battre mon cœur. J'entendais battre mon cœur, ce qui me rappelait le son des vagues. Des sons bizarres, car le battement de mon cœur était irrégulier. C'était très émouvant et impressionnant d'écouter tous ces sons. Le médecin arriva et demanda à la préposée de revoir certaines séquences, question d'analyser la situation. J'ai été très soulagée lorsque l'infirmière m'a annoncé la fin de l'examen. La durée de l'examen: deux longues heures. De retour à ma chambre, j'avais l'espoir que les examens se termineraient bientôt.

J'étais abattue, car mes forces diminuaient de jour en jour. Le médecin, ayant analysé les résultats, m'annonça que je faisais une myocardite à cellules géantes. La myocardite est une atteinte du muscle cardiaque: le myocarde. Le muscle cardiaque malade ne peut plus jouer son rôle de pompe permettant la circulation du sang et rapidement s'installe une défaillance cardiaque. La contraction des ventricules devient inefficace, ce qui entraîne une baisse du débit sanguin. Bref, il n'y avait pas de temps à perdre. Cette journée-là, Jeanne d'Arc est arrivée juste au bon moment pour m'encourager. Elle a arrêté mon flot de larmes.

Nous sommes le quatorze février 1995, c'est la Saint-Valentin. La sieste terminée, j'ai entendu des pas venir vers ma chambre. C'était le cardiologue Guy Pelletier, un homme imposant, aux tempes grises et aux yeux interrogateurs. Il s'est approché et s'est assis sur mon lit à côté de moi. Il m'inspirait confiance. Il me dit: « Chère petite madame, votre cas est sérieux. L'équipe de greffe a décidé de vous donner un traitement par médicaments. Si les résultats sont bons, vous pourriez éviter la transplantation. Nos chances de réussite sont de cinquante pour cent. » J'ai pris courageusement ma décision et j'ai signé la décharge de responsabilité. L'équipe de greffe m'a aussi rendu visite, les médecins étaient surpris de voir que mon moral tenait le coup. Je leur ai souhaité une bonne fête des amoureux en les taquinant, ils étaient des amours pour moi.

Dès le lendemain, je subissais mon traitement-choc. Je regardais mes pilules multicolores et je me rappelais les *Smarties* tant aimées de ma jeunesse. Je les ai toutes avalées avec une confiance infinie. J'ai demandé à mon chum d'en haut, la force de passer à travers de ce traitement. Ce soir-là, Béa et mes fils sont venus, comme à tous les jours, me rendre visite. Ils m'ont tous bien encouragée. J'avais demandé à Martin de me fabriquer un soleil avec de la pâte à modeler. Il a bien réussi, je l'ai déposé sur ma table de chevet. Ce soir-là, la durée de la visite a été courte. Ils désiraient que je me repose, j'étais vraiment à bout.

Peu de temps après que ma famille soit partie, j'ai fait une mauvaise réaction aux médicaments. Je tremblais, j'avais froid et je ne voulais pas dormir, je croyais que c'était la fin. L'infirmière a pris ma pression et m'a conseillé de dormir. J'étais en état de panique et je me voyais clouée à mon lit. Je me sentais mourir, mais je ne voulais pas me laisser aller. Soudain, j'ai vu toute ma vie se dérouler devant moi... Tout le bonheur que j'avais vécu avec Béa et les enfants, mes voyages dans le Sud. « Mon Dieu, est-ce déjà fini? » J'ai toujours pensé aux autres, je trouvais que j'avais encore quelque chose à faire sur la terre. Je voulais qu'on me laisse plus de temps, je désirais terminer mon travail! De ma main tremblante, j'ai écrit à Béa et aux garçons. Je leur ai livrées mes dernières pensées.

« Cher Béa, je t'aime beaucoup. Je te remercie pour tout le bonheur que nous avons partagé ensemble. Si parfois, il y a eu quelques contrariétés, j'étais bien sensible et tu connais bien la tête dure de Cormier. Nous avons eu beaucoup d'amour. Je suis contente de t'avoir choisi comme mari. Mon beau bonhomme! Si tu rencontre une autre femme, je te la souhaite riche, toi qui a tellement donné. Fais attention. Ne bois pas trop. Que ta retraite soit la plus réussie. Surtout relaxe. Fais ce qu'il te plaît. Va à la pêche, à la chasse et profite de chaque jour. »
Denise qui t'aime xxx

J'étais épuisée, mais j'avais tellement peur de dormir. Je voulais crier tout mon amour. Je me suis remise à mon écriture, à mon cri d'amour.

« Cher Denis, je t'aime beaucoup. Tu as de belles qualités.

Garde toujours ton bon moral. Tu es travaillant, ne lâche pas. Prends soin de ton amie et pense un peu plus aux autres, ce ne sera pas perdu! Je te souhaite un travail qui te satisfera et que tous tes désirs se réalisent. Tu reste toujours dans mon cœur. Tu ne peux imaginer combien je t'aime. Sois un ami pour ton père, fréquente tes frères François et Martin. »

Ta maman qui t'aime xxx

« Cher François, je t'aime beaucoup. Prends bien soin de ton amie. Sois heureux. Occupe-toi beaucoup de ton père, que fera-t-il sans moi? Il aura besoin de ses enfants près de lui. Donne-lui beaucoup d'amour et d'encouragement. J'ai eu beaucoup de bonheur avec vous autres étant petits. J'avais des beaux bébés. Je promenais mon fun. Je te vois encore comme un gros bébé touffu. J'aimerais dorloter ton petit qui est en chemin. J'ai hâte de le voir. Il y a une belle douillette pour lui. Chut, c'est un secret! Elle est dans le coffre en cèdre au sous-sol. »

Je suis fatiguée. Je t'aime. Maman xxx

« Cher Martin, tu es mon bébé que j'ai désiré de tout mon cœur. Je t'aime comme tu es, avec tous tes talents. Dieu que tu en as! Tu as un tempérament de fonceur dans la vie. J'ai confiance en toi. Avec ta grandeur de six pieds, tu peux parcourir tout un chemin en laissant ta trace MW. Je suis certaine que la vie sera intéressante avec tout ton travail et tes loisirs, sans oublier ta famille. La vie est un cadeau, il suffit de savoir l'emballer. Je te garde dans mon cœur et je te surveille comme ton ange gardien. »

Maman qui t'aime xxx

* * *

L'infirmière m'a fait sursauter. Elle me dit qu'il était quatre heures et que je n'avais pas encore fermé l'œil. Je lui ai répondu que j'avais peur de m'endormir et que je croyais mourir. J'étais é-p-u-i-s-é-e. Je voulais écrire tout l'amour que j'avais pour ma grande famille, mais je n'en avais plus la force. L'infirmière m'a remis un calmant pour m'aider à dormir. J'essayais de m'endormir, regardant le petit soleil que Martin m'avait fabriqué et demandant de revoir le vrai soleil au matin. J'ai fait à nouveau une mauvaise réaction aux médicaments. J'ai perdu totalement le contrôle. Mes yeux se sont fermés. J'avais toujours cette certitude que j'allais mourir. J'ai aperçu un pot à fleurs rempli de ciment. J'entrais maintenant dans un tunnel sombre et tout au bout de ce dernier brillait une lumière éblouissante. J'étais dans un état extrême, je me sentais transportée par cette clarté. J'ai ressenti une sensation de bonheur inexplicable. Je n'avais plus aucun mal, je me sentais bien. C'était plus beau qu'un feu d'artifice. Je me suis perdue dans le temps pour une courte durée.

Le lendemain matin, je me suis réveillé en voyant le soleil à la fenêtre. J'étais si heureuse de revoir la vie. J'ai longue-ment remercié Dieu de m'avoir laissée sur la terre. Dès mon réveil, l'infirmière m'a débranchée de mon installation. J'étais toujours branchée à l'appareil qui visualisait mon état cardiaque. Après cette nuit d'horreur, je me suis tranquillement remise de mes émotions. J'étais faible, mais je continuais d'espérer.

Le lendemain, je me suis retrouvée étendue sans bouger, pour passer un examen nucléaire. Les étapes me semblaient multiples et difficiles, mais je gardais la foi. En arrivant à ma chambre, je me suis glissée sous mes couvertures. Je sommeillais quelques minutes avant le dîner, car je trouvais que manger me demandait trop d'énergie. À mon réveil, j'ai reçu un signe, j'ai vécu un moment de paix intense. J'ai senti une main velue serrer la mienne et j'ai entendu une voix me dire: « Tu vas encore chanter! » La main qui me touchait était, je crois, celle de Wilfrid, mon beau-père déjà décédé. J'étais très émue, des larmes coulaient sur mes joues. Je me suis retournée pour voir qui était là, mais il n'y avait personne. Quelques minutes plus tard, j'ai raconté l'événement à mon infirmière. Elle aussi fut très remuée. Je me souviens d'avoir écrit dans mon journal la veille au soir à mon beau-père. Je lui demandais de me laisser encore chanter. À mon réveil, il était venu me rassurer.

Une fois la semaine, je recevais la visite de mon psychiatre, monsieur Robert Leroux. Bien portant, il avait toujours un air interrogatif, mais il était d'une douceur calmante. Il s'installa au pied de mon lit et m'observait avec un sourire. Moi, j'étais encore en train de plaisanter! Il était toujours surpris de me voir si sereine et en demeurait toujours bouche bée. Je lui répétais que j'allais bien et que j'avais confiance. Je lui disais que ma force venait de mes amis d'en haut... Je lui racontais les multiples demandes de guérison que je formulais à Mère Marie-Rose. Je le voyais sceptique, je lui ai demandé: « Avez-vous la foi? » Il m'avait répondu: « Avec les récits que mes malades me racontent, je finis par croire! »

* * *

Je désirais me reposer, mais cette journée-là, j'ai été dérangée par la travailleuse sociale. Elle m'ennuyait et m'énervait avec toutes ses questions. « Avez-vous de bonnes assurances médicales? » Je savais que c'était dispendieux tous mes traitements, mais la vie n'a pas de prix! Justement, j'étais chanceuse d'avoir une bonne assurance maladie. Sans elle, mes traitements se seraient arrêtés.

Pour passer le temps, je continuais d'écrire. J'écrivais pour laisser ma trace, j'avais peur de ne pas passer au travers.

« Bonjour Margot et Marcel. Vous saluerez Benoît, Daniel, Pierre et Francine. Je vous souhaite de vivre pleinement, car la vie est courte. Karine, ma filleule, je t'aime beaucoup. »
Denise xxx

« Rolande et René, je crois que tout s'achève pour moi. Je veux vous dire que je vous aime. Je vous souhaite beaucoup de bonheur ensemble. Pierre, je te souhaite le meilleur. Des saluts à tous. »
Denise xxx

« Maurice, mon petit frère, je t'aime beaucoup. Je me souviens lorsque tu étais petit, tu mangeais beaucoup de chocolat. Tu étais le bébé gâté. J'espère que l'avenir

t'apportera le meilleur. Demande de l'aide d'en haut, c'est une bonne idée! »
Ta sœur Denise xxx

« Laurent et Irène, Johanne et Rémi, j'aurais aimé vous voir plus souvent. Je vous souhaite du bonheur et de la santé. Merci pour l'attention que vous m'avez apportée. »
Denise, xxx

« La grande famille Moreau, que de bonheur que j'ai partagé avec vous tous. Une grande famille de cœur. Je vous souhaite de continuer. Restez tels que vous êtes! »
Je vous aime, Denise. xxx

* * *

La famille entière s'inquiétait pour moi. Je n'en croyais pas mes oreilles, je recevais chaque jour plein de messages d'amour et d'encouragement. J'ai toujours donné beaucoup d'amour à toute la parenté et je voulais continuer à les aimer encore longtemps.

Béa est arrivé doucement. Il me regardait d'un air triste. Je lui dis: « Pleure si c'est pour te faire du bien! » Béa, avec son orgueil, ne pleurait pas. Je lui ai demandé de téléphoner à Louise, la présidente de l'AFÉAS et à Sœur Albertine. Je désirais qu'elles fassent prier mes amies pour moi, car ce soir-là se tenait une réunion de l'AFÉAS. J'étais en confiance. Durant la soirée, j'ai senti une chaleur au-dessus de ma tête, suivi d'une force et d'un courage m'envahissant de tout mon être. J'étais prête à me battre encore pour tous ceux que j'aimais.

Aujourd'hui, la journée a été sombre pour moi. L'infirmière m'a regardé et m'a dit: « Vous ne pleurez jamais? » « Pourquoi pleurer? Si je pleure, je ne pourrai pas m'arrêter. Il ne faut pas que je commence cela. »

J'étais bien gâtée par mes visiteurs. Le fait de les voir se déplacer pour venir me visiter était déjà tout un cadeau. J'ai été longtemps hospitalisée, je me suis fait un petit chez moi. J'avais une fenêtre panoramique de plus en plus remplie: plusieurs cartes de prompts rétablissements, des mots d'espoir et quelques sacs multicolores contenant des surprises. Lorsque la déprime me prenait, je lisais mes cartes et je me sentais aimée et encouragée. Les infirmières me trouvaient chanceuse d'avoir toutes ces belles surprises.

Chaque matin, après avoir terminé ma toilette, j'écrivais quelques lignes dans mon journal. Ce n'était pas toujours beau... surtout pas ce matin-là...

J'ai été bouleversée par une infirmière qui m'a dit que j'étais une petite bourgeoise qui aimait se faire dorloter. Je ne comprenais pas son attitude... Moi qui ne dérange jamais. Je m'organisais moi-même. J'ai eu le cœur gros. Jeanne d'Arc était présente et lui a dit qu'elle se trompait sur mon compte. « Ma belle-sœur n'est pas comme vous le dites! Au contraire, les autres passent avant elle. » L'infirmière sans dire un mot s'est dirigée vers la porte.

Je lui ai pardonné, car chaque individu a ses peines. C'est la seule qui m'a traitée ainsi. J'ai toujours reçu de bons services.

Je trouvais le temps long, mais un beau matin, j'ai obtenu enfin de bons résultats. D'après mes résultats d'analyses, je pouvais désormais retourner à St-Jovite! Je me sentais bien et j'étais enchantée de partir. Avant de retourner chez moi, j'avais des études à faire. Je devais apprendre le nom de chacun de mes médicaments, leurs actions et leurs effets secondaires. J'avais l'habitude de recevoir mes remèdes dans un gobelet, mais dès aujourd'hui, c'était très important de les préparer moi-même. L'infirmière m'a expliqué comment faire pour analyser le taux de sucre dans mon sang. J'étais nerveuse, mais je savais que j'allais vite m'y habituer. La quantité d'insuline, que je devais m'injecter, variait selon mon taux de sucre. J'écoutais très sérieusement les conseils de la spécialiste. Les médicaments que je prenais faisaient augmenter mon taux de glycémie. Je devais m'injecter de l'insuline pour stabiliser mon état. À chaque fois que je m'insérais l'aiguille dans la cuisse, je demandais au Père Taubi, un cousin, de me guérir. Après m'être piquée deux fois par jour pendant plusieurs semaines, j'ai diminué progressivement les doses. J'ai pu changer de médication, dorénavant, j'avalais des pilules. Aujourd'hui, avec ma bonne volonté, j'ai été exaucée. Je ne suis plus diabétique! Tout en disant non aux sucreries, je me suis guérie.

De retour à la maison, je me sentais en pleine forme. J'étais bien dans ma demeure et j'espérais y demeurer pour longtemps. Je revenais en pleine nature, je pouvais enfin revoir le lac, aussi calme qu'avant mon départ. Les amies me visitaient et me trouvaient bien en forme, malgré plusieurs kilos en moins. Je me voyais guérie, mais l'illusion n'a pas duré longtemps. Quelques jours plus tard, je me retrouvais encore dans l'obligation de retourner à l'Institut de Cardiologie de Montréal. Cette fois, le médecin m'avait donné une chambre privée située face au bureau central. J'étais surveillée vingt-quatre heures sur vingt-quatre. Je dormais continuellement et je ne pouvais me lever du lit. Je n'avais pas la force et je demandais de l'aide pour me rendre à la toilette. À l'heure de repas, on me réveillait. J'avais perdu l'appétit. Je prenais quelques bouchées et aussitôt, je me glissais, épuisée, dans mes couvertures. Je voulais prendre des forces, car je savais que je devais subir une transplantation.

La garde est arrivée sur la pointe des pieds, sa présence m'a réveillée. J'étais fière de la voir, elle était bien gentille avec moi. Elle me parlait doucement et de cette façon, elle ne m'énervait pas. Cette garde faisait partie de l'équipe de greffe, elle était aussi importante que mon médecin. C'était une personne qui aimait son travail, elle se dévouait corps et âme. Elle m'a alors avertie qu'un préposé viendrait me chercher pour que je puisse visionner la vidéo traitant de la greffe du cœur.

J'ai voulu être calme, mais j'étais plutôt nerveuse. Lorsque j'en avais la chance, je me couchais pour me reposer. Un matin, une infirmière était entrée et m'a dit sèchement:

« Vous êtes toujours couchée! » Je lui ai répondu que je me reposais. Avec son air autoritaire, elle m'a annoncé que j'avais mon congé, que ça faisait assez longtemps que j'étais là... que je devais partir. Je lui ai expliqué en pleurant que je n'étais pas assez en forme pour sortir! Quelques minutes plus tard, mon médecin était arrivé et constatant les dégâts, il me dit: « Qu'avez-vous ma petite madame? » Je lui ai raconté l'avis que j'avais reçu. Il m'a dit que ce n'était pas à l'infirmière de décider de mon état et de l'heure de mon départ. J'étais rassurée et l'infirmière, quant à elle, s'est fait gronder par le grand patron.

De jour en jour mes forces revenaient. Un soir, j'ai reçu de la belle visite de Marguerite et Aurel. Ils avaient fait six heures de route pour venir me voir la binette. Comme d'habitude, je faisais des farces et je leur disais de ne pas s'inquiéter, que tout allait bien.

Le personnel de l'institution devait me préparer sérieusement pour la greffe. Un psychiatre, monsieur Robert Leroux m'a rendu visite. Il m'a demandé de raconter ma vie. J'ai débuté en creusant dans mes souvenirs... Je devais remonter dans le temps jusqu'à ma petite enfance. Il était là pour voir si j'étais prête mentalement à recevoir le cœur d'une autre personne. C'est mon médecin Guy Pelletier qui voulait s'en assurer. Il est venu s'asseoir sur mon lit, à côté de moi et il m'a dit: « Je pense que nous devrons attendre pour votre greffe. » J'étais secouée! Je le regardais dans les yeux en lui disant: « Si vous me faites attendre trop longtemps, je sais que je ne reverrai pas le gazon! » Il a compris que j'étais mûre pour la greffe. C'était une grande et une importante décision que d'accepter d'être greffée. L'harmonie totale permet souvent une convalescence plus courte. Il fallait qu'on me trouve un cœur compatible. Je n'ai jamais fumé, consommé de drogue, ni d'alcool. J'étais en quelque sorte la patiente idéale pour subir cette greffe. Le donneur devait répondre à plusieurs critères de sélection. Par exemple: le groupe sanguin devait être le même que le mien, la grosseur de l'organe devait être prise en considération et divers tests de compatibilité devaient êtres effectués.

« Je veux, je peux, je suis capable. Je vaincrai! »

Ils m'ont retournée chez moi en me remettant un télé-avertisseur. Ils m'ont conseillé de le porter sur moi en tout temps. J'étais désormais sur la liste d'attente. Mon médecin m'a avertie de ne pas attendre mon cœur comme on attend une livraison d'un grand magasin.

* * *

De retour à la maison, j'ai pu me reposer dans mes affaires. De jour en jour, je désirais que mon bip-bip sonne. Quelqu'un, quelque part, devait mourir pour que je sois greffée... Cette situation me bouleversait et me faisait réfléchir. C'était incroyable, beaucoup d'idées tourbillon-naient dans ma tête. « Le malheur des uns, fait le bonheur des autres. »

Mon souffle était court. J'avais des douleurs dans tout mon être. Je me demandais: « Pourquoi moi? » Mais je me consolais, je n'étais pas la seule à attendre. Nous étions le vingt-neuf mars. C'était ma neuvième journée d'attente et je ne me sentais pas bien. Mon diabète était élevé. J'ai demandé à Jeanne d'Arc de téléphoner à ma garde pour l'avertir de mon état. Je tremblais. J'ai pris le récepteur et c'est bien ma garde qui m'a répondu. Après m'être nommée, je lui ai dit que plus rien n'allait. Elle m'a répondu qu'elle devait justement me téléphoner car la date de mon prochain rendez-vous était devancée au trente mars. Elle m'annonça que mon médecin devait aller en congrès le six avril. « Je vous attends le trente, à huit heures. Ça va aller? » J'ai confirmé. Elle avait reçu l'appel tellement attendu et il y avait un donneur compatible avec moi. Nous sommes, Béa, Jeanne d'Arc et moi partis le soir même, en direction de Montréal. La route était enneigée et Béa voyait que je me sentais bien. En dedans de moi, j'avais peur que tout soit terminé. Je luttais sans relâche, pensant à Béa et à mes fils que j'adorais. Je priais tout bas.

Nous sommes enfin arrivés chez Jeanne d'Arc. Ayant de la difficulté à sortir de l'auto, je ne me voyais pas gravir toutes ces marches une à une, Béa m'a prise dans ses bras. Nous devions monter l'escalier, mes jambes étaient lourdes. J'étais fière d'arriver en haut. Ma belle-sœur m'a installée dans sa chambre. Elle désirait que je passe une bonne nuit.

La journée mémorable

Aujourd'hui, nous sommes le 30 mars. C'est une journée spéciale. Dès sept heures, nous étions debout et nous partions pour l'Institut. À l'arrivée, Béa a utilisé un fauteuil roulant pour me déplacer, car j'étais dans l'impossibilité de marcher. Je me sentais « cuite à l'os! »

En arrivant, je me suis présentée au poste de prélèvements sanguins. À quoi bon, je n'avais plus de sang dans les veines! Chaque infirmière essayait de me piquer... ça ne fonctionnait pas. Après plusieurs tentatives, mon médecin s'y résigna. Je suis retournée dans la salle d'attente. Pendant ce temps, Jeanne d'Arc avait jeté un coup d'œil au casier de rendez-vous. Elle m'a alors dit que ça ne serait pas long, mon médecin n'avait que deux dossiers à traiter.

Quelques instants plus tard, nous avons entendu mon nom: « Madame Cormier » Béa m'entraîna jusqu'au bureau du médecin. J'ai regardé le médecin en pleine figure. Il m'a dit de m'asseoir sur la table d'examen. J'en étais incapable. Il a dû m'aider à m'y installer. Il a pris ma pression, a écouté les battements de mon cœur et m'a demandé: « Comment vous sentez-vous? » Je ne voulais pas dire tout le mal que je ressentais car je ne voulais pas attrister Béa davantage. Mais il fallait que je dise la vérité, je n'avais plus le choix. Mes larmes coulaient. Je lui ai dit que je ne pouvais plus attendre. C'était le premier aveu de la sorte formulé devant Béa. Il m'a demandé de retourner dans à la salle d'attente. En revenant, j'ai vu mon fils Martin qui m'attendait patiemment avec Jeanne d'Arc. Nous avons attendu tous les quatre le déroulement des événements. Le silence régnait, nous étions songeurs. Comme un éclair, l'infirmière est arrivée. Elle s'est approchée de moi, et m'a tapé doucement sur l'épaule gauche, elle m'a dit: « Qu'est-ce que vous diriez d'avoir votre cœur aujourd'hui? »

J'étais énormément surprise, tout comme Béa, Jeanne d'Arc et Martin. Je me pris la figure à deux mains et j'ai crié « OUI! » du plus profond de mon être. J'étais incapable de rire ou de pleurer. Je faisais une montée d'adrénaline. Le temps s'était figé! Nous devions monter immédiatement à une chambre qui m'était déjà réservée. Tous devaient m'aider à me préparer pour l'opération. Béa, m'enlevait mon vernis à ongles à l'aide de boules de coton. Je ne me rappelle que de deux ongles... J'étais tellement excitée, que j'étais incapable d'uriner! Je n'avais plus connaissance de rien, c'est Béa qui par la suite m'a rappelé les événements.

Mon médecin Guy Pelletier avait averti Béa: « Peut-être que ça ne fonctionnera pas. »

Béa, Jeanne d'Arc et Martin ont aperçu la petite glacière rouge qui contenait MON NOUVEAU CŒUR. Elle était portée par mon chirurgien Michel Carrier. Pour l'opération, il était accompagné du cardiologue Guy Pelletier et des gardes, mes deux anges. Nous sommes descendus ensemble jusqu'à la salle d'opération. Ma famille m'a laissée à l'entrée de la salle d'opération en me disant qu'on allait se revoir bientôt! La greffe n'a duré que 59 minutes. Tout s'est bien déroulé, sans aucune hémorragie.

François revenait d'une partie de hockey lorsqu'il a appris la nouvelle; Martin lui avait laissé un message téléphonique plein d'émotion. Il s'est rendu immédiatement à Montréal. Mes trois fils avec leur père et tante Jeanne d'Arc attendaient l'appel du médecin. Lorsque l'opération fut terminée, un préposé de l'hôpital avait confirmé la fin de l'opération. À quelques pas seulement, la pression était forte.

Le téléphone de Jeanne d'Arc a sonné. « DRING » Ils ont sursauté. Qui allait répondre? Ils se regardaient et hésitaient... François a décroché le combiné et l'a remis à son père. « On a demandé monsieur Moreau. » Tous se sont empressés de demander si c'était une bonne ou une mauvaise nouvelle. Le médecin avait confirmé à Béa que tout s'était bien déroulé. Ils avaient fait du beau travail, il n'y avait eu aucune complication. Ils pouvaient venir me visiter dès le lendemain matin.

Après l'opération, j'étais dans la chambre de réveil. Jeanne d'Arc est venue me voir, le soir même, pour une courte visite, car il y avait beaucoup d'émotions.

* * *

Le téléphone a sonné dans chaque maison de la parenté. La bonne nouvelle était annoncée, c'était une chaîne téléphonique d'amour: « Denise a reçu son cœur! » La question qui revenait souvent: « Un cœur de femmes ou d'homme? » Je ne l'ai jamais su et de toute façon, le cœur n'a pas de sexe!

Le lendemain matin, en me réveillant, j'ai vu des petites lumières au bout de mes doigts. Je voulais parler, mais je ne pouvais pas à cause des nombreux tubes que j'avais dans la bouche. Je suis retournée à mon sommeil. En ce vendredi, Béa n'est pas entré au travail: il voulait rester à mes côtés. Il a passé la journée avec moi, je ne sentais pas sa présence, car je dormais encore. Les infirmières sont arrivées et m'ont enlevé les tubes qui ne servaient plus. Béa était heureux de constater que l'équipe me suivait de près. Ils analysaient chaque modification de mon état.

À mon réveil, j'ai demandé mes lunettes et j'ai pris conscience que je n'avais plus aucune douleur. Je me suis dit: « C'est un miracle! » Je venais de gagner le gros lot! Béa s'est approché et m'a caressée. Les enfants étaient aussi présents. Nous étions tous heureux de se retrouver après un si long combat. Dans le coin de ma chambre, un bouquet de ballons avait été accroché. Sur chaque ballon il était inscrit: Bravo! Merci! Grâce au Seigneur! J'ai aussi reçu un deuxième bouquet en reconnaissance de l'équipe de greffe. Des félicitations pour leur beau travail. Ils ne seront jamais assez remerciés pour tout leur travail accompli!

J'étais vivante, je n'y croyais pas. Je faisais désormais partie des trente mille personnes vivantes avec le cœur d'un autre. Moi, je me disais que c'était MON COEUR. Je lui parlais et je lui disais que j'en prendrais bien soin.

Me voici décorée d'un pendentif. C'était un mini-transmetteur qui envoyait à l'ordinateur mes battements cardiaques en temps réel. J'étais branchée à un moniteur, placé devant moi, qui me transmettait mon rythme cardiaque. Si je m'agitais, les lignes s'animaient aussi. Si ça n'allait pas, le bureau chef en était immédiatement avisé. Ce qui n'est pas arrivé! Tous les jours, j'étais suivie par l'équipe de greffe. Ils étaient bien surpris de mes résultats. Je n'oubliais pas de les remercier. Pour moi, c'était une seconde vie. J'étais rassurée, un bon bout de chemin était déjà fait. Chaque matin, l'infirmière venait prendre une prise de sang. Je m'étais transformée en courtepointe! J'étais piquée à plusieurs endroits, mais c'était très important de surveiller la qualité de mes globules. Une possibilité de rejet plane toujours sur les nouveaux greffés. Je passais des examens durant la journée et garde Nicole Maria écrivait mes résultats sur mon bulletin géant à l'entrée de ma chambre. Ce tableau était scruté par mes médecins. Ce bulletin me suivra tout au long de ma vie, c'est ma feuille de route.

Lorsque j'apercevais garde Maria, je m'énervais et lorsqu'elle me parlait, je ne comprenais rien. Elle avait un drôle d'accent et parlait très vite. J'étais nerveuse et je paniquais. Un matin, je me dis qu'il fallait que je m'habitue à elle, car je devais la revoir tous les jours. Une idée m'est venue en tête. Nicole. Son prénom était Nicole, et j'avais décidé aujourd'hui, de changer d'attitude envers elle! La garde en question est arrivée, elle était toute mignonne. Je lui dis: « Bonjour Nicole! » Tout simplement, je venais de briser la glace. J'avais fini de m'énerver. J'écoutais attentivement ses conseils et je finis par la trouver talentueuse. En entrant un autre matin, elle me dit:

« Ça sent bon ici! » Je devais cette bonne odeur à mes visiteurs qui m'apportaient des bons parfums et d'excellentes crèmes à mains. C'étaient des douceurs que j'appréciais énormément.

Je n'étais pas encore très forte, mais comme toujours, je voulais aller trop vite. Un matin, j'ai fait de gros efforts pour me rendre à la salle de bain tout près de mon lit. Tout indépendante que je suis, je voulais me laver moi-même. Par un moment d'inattention, ma trousse d'articles de toilette tomba au sol. Je me suis penchée pour la ramasser et je me suis retrouvée incapable de me relever. Je fus obligée de sonner pour avoir de l'aide. L'infirmière est arrivée en un rien de temps et m'a dit de ne pas me gêner, de demander de l'aide, qu'elle était là pour ça! J'ai eu ma leçon!

On m'a avertie que mon physiothérapeute arriverait vers dix heures le lendemain. Que je ferais des exercices pour faire prendre des forces à ma musculature qui était retombée à zéro. Béa m'avait apporté un pyjama pour que je sois à l'aise. Le physiothérapeute était un jeune homme, j'aurais pu être sa mère. Il m'a expliqué les différents mouvements que je devais exécuter. Chaque jour, je devais augmenter le nombre de répétitions. Je levais la jambe droite et la gauche très doucement, cinq fois. Jour après jour, je prenais des forces. Je faisais quelques pas à l'aide d'une marchette. J'étais chaussée de bons souliers de course. Le lendemain, je me lançais le défi de marcher toujours un peu plus loin. J'avais hâte de terminer ma marche, ça me fatiguait. Je m'encourageais en chantant la chanson de Ginette Reno: « Un peu plus haut... un peu plus loin. »

Les encouragements familiaux me touchaient et Béa me gâtait sans arrêt, je lui répétais souvent que j'étais contente. L'heure des repas était toujours un fardeau: je ne voulais jamais manger. Je m'obligeais, mais je trouvais ça pénible. Je n'avais pas de temps à perdre: je devais remettre le plateau quelques minutes après l'avoir reçu. J'étais satisfaite des repas, mais je n'étais pas à l'hôtel, je n'avais pas le choix! Une fois par semaine, ma diététicienne me conseillait sur mon alimentation. Je devais faire des choix de menus équilibrés, car je devais bien me nourrir. Je me suis aperçue tranquillement que mes forces revenaient de jour en jour, je tremblais moins.

Les journées passaient assez vite, j'avais toujours des visiteurs, autant de l'intérieur, que de l'extérieur. Cette journée-là, c'était mon psychiatre qui, au beau milieu de ma chambre, me regardait en souriant. Il ne parlait pas, il attendait que je lui adresse la parole. Débordante d'émotion, je lui ai dit combien j'étais heureuse. Il me demanda si je rêvais, je lui demandai: « Quelles sortes de rêves? » J'avais beaucoup de rêves: celui de voir mon petit-fils et celui aussi d'écrire ma biographie et ça c'était un grand rêve! La question du médecin était plutôt de savoir si je rêvais en dormant la nuit. Après plusieurs mois, je pus enfin lui dire que je rêvais durant mon sommeil. Il m'a demandé de dessiner mes cœurs, le malade et mon nouveau sur une feuille de papier. Tout simplement comme je les percevais. Je suis loin d'être dessinatrice, mais je lui ai dessiné ce que je pensais, comme ça me venait. J'ai commencé par mon nouveau cœur, je l'ai décoré de dentelle. Je lui ai ajouté des minis fleurs et des tiges qui parcouraient sa surface. De cette façon, je représentais l'énergie et la jeunesse de mon nouveau cœur. Je ne pensais pas du tout à l'organe, mais à son bon fonctionnement. Pour moi, c'était un cœur d'amour comme celui de la Saint-Valentin! En ce qui concerne mon cœur malade, je l'avais représenté d'une manière sans vie. Sans aucun artifice et avec des points de blocage à l'intérieur.

* * *

Depuis le mois de décembre que j'étais hospitalisée... Il ne fallait pas trop y songer. Béa m'avait apporté ma radio-cassette. Je me permettais de faire jouer de la musique, le son très bas, juste pour moi. Une des gardes, venant me voir, me dit: « Ha! C'est ma chanson préférée! » Je ne dérangeais personne: j'étais seule dans ma chambre et ça me faisait du bien.

Une nuit, j'ai entendu une malade pleurer. Elle était face à ma chambre. Ça me faisait de la peine de l'entendre. Le lendemain matin, j'ai pris la décision de lui apporter une de mes belles jonquilles. J'ai demandé un vase à mon infirmière et je suis allée rencontrer ma voisine inconnue. Entrant dans sa chambre, je lui ai dit: « Je vous apporte cette fleur, c'est du soleil pour la journée. » Après un court silence, j'ai enchaîné: « Je crois que ça ne va pas... » Elle m'a répondu: « Je serai opérée pour trois pontages et j'ai peur de mourir. » Sympathisante, je lui ai dit: « Je crois que vous êtes grand-maman? » Elle me dit que oui. « Pensez-vous que LUI en haut laisserait vos petits-enfants sans leur grand-maman? Ils ont besoin de vous. Ayez confiance, laissez-vous aller. Tout ira bien! » Durant tout le reste de la journée, j'ai pensé à ma petite dame. Le lendemain, son conjoint est venu me voir et il m'a dit: « C'est vous qui avez encouragé ma femme? » Je lui ai répondu: « Oui! » Il a repris: « Je suis fier de vous. Avec vos belles paroles, elle s'est calmée et tout s'est bien passé. » J'étais tellement heureuse pour la dame et j'étais contente de moi!

La prise de sang quotidienne était importante: cet examen avait pour but de détecter les risques de rejet. C'est ce matin que tout s'est gâché! Je n'ai pas eu un bon résultat. Garde Nicole m'a donné de nouveaux médicaments. Je devais les prendre correctement pour empêcher le rejet. J'étais inquiète, mais j'avais quand même confiance. Cette journée-là, mon petit bonheur m'avait laissée!

Lorsque l'infirmière avait terminé d'écrire dans mon bulletin de santé, la curiosité me poussait à le regarder. Je m'avançais et je l'examinais, mais je n'y comprenais rien. La journée se passait bien malgré tout. François et sa conjointe m'ont visitée et m'ont apporté de belles roses. Ils me rassuraient: le bébé continuait toujours son chemin.

Une nuit, alors que j'étais assise aux toilettes, la porte fermée, une infirmière est entrée à toute vitesse! Elle me dit qu'elle était contente de me voir... Je lui demandai ce qui se passait. Les piles de mon mini-transmetteur étaient tout simplement usées. Le moniteur avait signalé un mauvais fonctionnement. Elle changea les piles et m'aida à me recoucher.

Je me préparais, car j'étais certaine que j'aurais mon congé pour la fête de Pâques. J'allais enfin me retrouver dans ma demeure avec ma famille. Je me sentais bien, mais je devais tout de même passer quelques prises de sang et une biopsie pour rassurer l'équipe de greffe que tout allait vraiment bien. J'attendais impatiemment le résultat. Assise, je relaxais, lorsque mon cardiologue entra dans la chambre. Il semblait embarrassé. Il m'a regardé et m'a dit: « Je ne peux pas vous donner votre congé car vous faites un rejet. » J'étais surprise parce que je n'avais aucun symptôme de rejet! C'est la biopsie qui demeurait la seule façon sûre et valable de détecter le rejet. J'étais très déçue. Mon rêve de retourner à la maison était retardé. Je me sentais prisonnière et isolée dans ma chambre, la porte devait dorénavant rester fermée. Seulement mes proches allaient pouvoir me visiter. En arrivant, ils devaient passer dans une autre pièce pour revêtir un sarrau et se laver les mains jusqu'aux coudes. Ensuite, ils pouvaient venir à ma rencontre. Mon système de défense était très sensible aux infections. Mon cardiologue m'a expliqué le déroulement du traitement. J'allais recevoir le médicament en trois phases. C'était un médecin de l'extérieur qui venait me soigner. Heureusement que j'avais un courage sans frontière. Je devais recevoir une injection de sérum antithymocyte de lapin. Béa venait juste d'arriver quand il me regarda avec un air piteux et comprit que je ne pouvais prendre mon congé. Nous étions déçus, mais nous voulions continuer de nous battre.

Le soir même, je recevais mon premier traitement. Il était six heures trente et un médecin qui m'était inconnu se présenta: « Bonsoir madame Cormier, je viens vous donner les soins contre votre rejet. Vous en aurez trois injections, une par soir. » J'ai vu une grosse seringue. Il m'a couvert la tête et tout le corps d'une toile bleue. Après avoir identifié l'endroit voulu, qui rejoignait la veine jugulaire du cœur, il y a injecté le médicament immunosuppresseur très puissant. J'allais être isolée et protégée contre l'infection. Le médecin, me voyant nerveuse, s'informa: « Ça va madame Cormier? » Je lui ai répondu: « Oui, mais j'ai mal et terriblement peur! » Je sentais passer un courant électrique dans ma tête et j'avais la bouche engourdie. J'avais d'énormes douleurs aux articulations. Il me semblait que je recevais des coups de barre de fer aux jambes! Le traitement terminé, le médecin a retiré la toile bleue et s'en est retourné. Les effets secondaires étaient normaux et très pénibles. Je me sentais lourde et je m'endormais. Je demandai à mon infirmière si elle m'avait donné un médicament pour dormir... Elle m'affirmait que non. Je devais rester éveillée, car j'avais bientôt d'autres pilules à prendre. J'avais de la difficulté à parler. J'ai alors fait un signe de la main signifiant à Béa et Martin de bien vouloir partir. Mon infirmière me parlait sans arrêt. Elle voulait que je reste réveillée, elle me parlait d'un savon que je lui avais donné en cadeau. Elle recevait peu de cadeaux des patients, elle était bien étonnée par cette petite surprise.

Elle regardait l'heure et me dit finalement: « Alors c'est le temps de prendre vos médicaments. » Je lui ai demandé de m'aider à m'asseoir et dès que je me suis retrouvée assise, je suis revenue à mon naturel. Vite j'ai téléphoné Béa pour le rassurer et lui dire que tout était revenu à la normale. J'ai passé une bonne nuit. Le lendemain, j'ai débuté positivement une nouvelle journée. Les infirmières étaient gentilles avec moi. Je priais de plus en plus fort pour que tout se passe bien. Ce soir à la même heure que la veille, j'allais recevoir mon deuxième traitement. J'étais craintive, mais je voulais gagner la lutte. Finalement, le soir arrivé, tout s'est bien passé. Je me sentais moins lourde, je n'avais pas les mêmes effets secondaires que la veille. Grâce à toutes mes demandes en haut, je n'ai pas eu besoin du troisième traitement. Merci...

Durant la journée, j'avais la permission de marcher dans le corridor. Lorsque je toussais, je devais presser un petit coussin sur ma poitrine. Ce dernier protégeait la cicatrice laissée par l'opération. J'avais un masque sur la bouche qui me protégeait des microbes. Je visitais mes amis qui eux aussi avaient été transplantés. Il y avait Bernard Théroux qui un jour était venu m'encourager. Je possède une photo de lui en souvenir. De temps en temps, nous partagions nos idées. Sa conjointe était très gentille.

C'était déjà Pâques. Je m'étais faite belle pour l'occasion, je portais ma plus belle robe de nuit! Elle était fleurie. J'attendais impatiemment la visite de Béa et de mes trois fils. Assise dans mon lit, je me retrouvais entourée de ma famille. Chacun m'a remis un cadeau... Encore une fois j'étais gâtée. Sœur Germaine, ma cousine religieuse et mon amie Denise arrivèrent à leur tour. C'était toute une surprise! Germaine était fière de m'apporter la nappe qu'elle m'avait confectionnée avec beaucoup de patience et de talent. Cette fameuse nappe contient mille quatre cent vingt morceaux. Chaque morceau prenait une heure pour être crocheté! Imaginez la beauté de cette nappe! Elle allait bientôt être à l'honneur sur la table de ma salle à manger. Il n'y a rien de trop beau pour Denise... ha! ha! Mon amie m'a remis une superbe cloche qui allait compléter ma collection. Après cette agréable journée, je me suis couchée en pensant aux résultats de ma biopsie. Mon préposé m'a frictionnée le dos et a placé mes oreillers pour que je puisse être confortable pour la nuit. « Merci Hugo, à demain. »

Une semaine plus tard, mon médecin est venu me visiter. J'étais en train de manger. Tout souriant, il m'a dit: « Ma petite madame, tout va bien! Vous sortez dans quelques jours! » Je n'en croyais pas mes oreilles.

* * *

Je trouvais le temps long, mais heureusement qu'un beau matin, le médecin Marc-André Lavoie m'a rendu visite. Il s'est assis dans le fauteuil placé dans le coin de ma chambre. Il s'est informé de l'endroit où j'habitais. Il était très intéressé et de plus, il connaissait bien l'endroit. Nous avons parlé du Mont-Tremblant. Une infirmière passait souvent, mais elle n'osait pas entrer: elle pensait que notre discussion était confidentielle. Il a terminé en me disant que c'était en pleine nature, chez-nous, que je retrouverais la joie de vivre. « Vous êtes bien chanceuse! »

Les infirmières m'ont préparé un tableau pour contrôler mon diabète. Je me donnais de l'insuline selon mon taux de glycémie. J'écoutais attentivement leurs conseils. J'ai reçu un calendrier pour noter mes médicaments. Le nom de chacun y figurait, leur dose et les dates à suivre quotidiennement, c'était très sérieux.

J'ai parlé de mon départ prochain au préposé à l'entretien. Je l'ai remercié pour les délicatesses qu'il a eues envers moi. Il m'aidait souvent à ramasser mes articles tombés sur le sol.

* * *

Le temps que j'ai passé dans cet hôpital m'a donné l'occasion de connaître la réalité des gens qui y travaillent. Le travail des médecins, infirmières et préposés est phénoménal. Tout le personnel a le cœur au travail. Les patients sont jour après jour très exigeants et je peux vous dire que j'en ai vu de toutes les sortes. Parfois j'entendais un son de cloche qui annonçait une urgence. Je voyais passer en courant une équipe de médecins, entourant un malade couché sur une civière dans le corridor. Le temps d'intervention était minime, ils avaient une vie entre leurs mains. Tous donnaient beaucoup de leur temps, c'était un oubli total de leur personne! Les murs des corridors de l'Institut sont décorés de plaques remerciant les médecins pour leurs bons soins. Ce sont des plaques en forme de cœur, elle sont très touchantes à lire. Ces plaques me donnèrent l'intention d'offrir de l'argent pour les fonds alloués à la recherche de l'Institut. C'est très important, car beaucoup de gens et de plus en plus de femmes sont touchés par les maladies cardiaques.

* * *

Le magasin roulant s'approchait de ma chambre, et aujourd'hui, j'étais bien décidée de me faire un petit cadeau en souvenir de ma longue visite à l'hôpital. J'ai choisi une broche décorée de deux beaux cœurs. La vendeuse me souriait et m'a souhaité une bonne journée.

Mon cabaret du soir avait été déposé sur la petite table, j'ai bien mangé. Mon cardiologue, Dr Guy Pelletier, est arrivé et m'a dit: « J'ai une superbe nouvelle pour vous. Vous avez votre congé. Vous pourrez quitter demain, le vendredi vingt-huit avril, après le dîner. » En le regardant, surprise, je lui ai demandé: « C'est bien vrai? » « Oui, ma petite madame! » J'étais bien heureuse de la bonne nouvelle. En terminant mon souper, je pensais déjà à ramasser mes affaires pour mon départ du lendemain. J'ai rapporté à la maison un coussin en forme de cœur qui nous a été offert par une compagnie de téléphone. Il fera partie de la décoration de ma verrière, l'endroit où je lis et me repose.

Béa est, comme toujours, à l'heure à notre rendez-vous quotidien. Je le regarde dans les yeux et je lui annonce mon congé. Il était aussi heureux que moi! Une des chansons préférées de Béa est « Quand j'aime une fois, j'aime pour toujours » et je dirais qu'il a vécu cette chanson durant ma longue maladie. J'ai souvent senti que mon mari avait beaucoup d'amour pour moi. Chaque soir, après son travail, il venait me voir à l'Institut. Lui aussi a vécu un temps difficile. Pour être plus près de moi, il avait décidé de demeurer chez sa sœur Jeanne d'Arc et de cette façon, il était à deux pas de l'Institut. Il avait délaissé sa maison, son lit et son fauteuil. Tout ça pour moi... C'est ensemble que nous avons survécu à ce cauchemar, mais le plus beau restait à venir! Nous avons informé Denis de notre retour à la maison. Il s'est occupé d'ouvrir les fenêtres pour changer l'air... La maison avait été si longtemps inoccupée.

J'ai rencontré mon chirurgien, Dr Michel Carrier, qui me donna des recommandations à suivre. Je profitais de l'occasion pour le remercier encore une fois. Nous avions eu l'aide de Jeanne d'Arc pour quitter l'Institut. Béa m'a aidée à m'asseoir dans l'auto. J'étais enchantée de revenir à Saint-Jovite. Nous avions une heure trente minutes de route à faire. Je trouvais le trajet long. Je revoyais les montagnes qui m'avaient manqué. J'avais l'impression qu'elles m'accueillaient en me regardant passer. Rendu au lac, à la maison, j'ai eu l'idée d'applaudir! Mon amie Alexis m'avait préparé un bouquet de ballons et l'avait accroché à ma boîte aux lettres. Ce n'était pas un rêve, je revoyais enfin ma maison. Denis m'avait déposé de belles fleurs sur la table de la salle à manger.

Après toutes ses émotions, j'étais très fatiguée. Avec l'aide de Béa, je me suis déshabillée et couchée un peu. En me fermant les yeux, je me suis dit: « Ce n'est pas croyable, je suis dans mon lit! » J'ai passé une bonne nuit, surtout avec le mâle que j'aime tant juste à côté de moi! Le lendemain, je me regardais dans les miroirs et je me voyais sous toutes mes coutures... Je trouvais que j'étais maigre, j'avais perdu toutes mes rondeurs. Mes seins ressemblaient à des quarts de citron. Béa m'encourageait en me disant que bientôt, tout allait revenir à la normale. J'étais chanceuse d'avoir Béa, il m'aidait beaucoup et me motivait. C'était lui qui préparait nos repas. Moi, je m'occupais de prendre mes médicaments, de faire mes exercices et de parler à mon chum d'en haut.

Le mois de mai arrivé, la nature se réveillait. J'allais marcher à tous les jours et sans savoir pourquoi, je marchais de plus en plus vite. C'est peut-être mon nouveau poids plume qui me permettait de marcher sans arrêt? J'ai reçu la visite de mes voisins, monsieur et madame Léonard. Ils m'avaient apporté une belle violette africaine. Naturellement, nous avons parlé de ma greffe.

Béa se levait à cinq heures pour aller travailler. Je lui rappelais de ne pas s'inquiéter. Ma voisine Jeannine venait me voir. Nous nous étions instaurées un code: lorsque la toile de ma fenêtre de chambre était levée, elle pouvait venir me voir. De cette façon, elle n'avait plus peur de me réveiller. Elle m'apportait de la bonne soupe, j'étais comme sa sœur, je la trouvais bien gentille. Tout au long de ma convalescence, elle m'a porté une attention particulière. Béa en était sécurisé.

Mon retour à mes tâches quotidiennes devait se faire progressivement. Je ne devais pas aller trop vite, avoir trop de projets. Mon activité du jour était de téléphoner à mes amies et de me coucher. Je lisais beaucoup et ça me donnait de plus en plus envie d'écrire ma biographie. Je devais aussi écrire une lettre afin de remercier la famille, les parents, de mon/ma donneur(se). Sans leur décision, je n'aurais jamais eu la chance d'avoir mon don d'organe. Voici la lettre:

« Chère famille, c'est avec émotion que je tiens à vous remercier pour votre collaboration au don d'organes. Vous avez permis à une maman de cinquante-cinq ans d'entreprendre une seconde vie. Ce cœur s'adapte bien à mon système, j'en suis très heureuse. Il n'y a pas assez de mots pour le dire... J'en prendrai soin. Déjà trois mois. C'est un beau cadeau que j'ai reçu. Je vous souhaite d'être récompensé en retour pour votre générosité.

Sincèrement, Denise Cormier

Mon époux et mes trois fils se joignent à moi pour vous remercier. »

Rétablissement

À cause des microbes que je pouvais attraper, je ne pouvais pas aller dans les places publiques durant au moins trois semaines. J'avais besoin de chaussures. Je suis partie avec Béa regarder les vitrines de magasins de souliers. J'en ai vu deux paires que j'aimais bien, mais je ne pouvais entrer dans le magasin! Béa est entré et a expliqué au vendeur ma situation. J'attendais assise dans l'auto. Le vendeur a laissé Béa sortir avec une première paire de souliers. J'ai essayé la première paire, mais je voulais aussi essayer la deuxième. Béa, patient, est allé chercher l'autre paire et est revenu. J'ai choisi finalement la première paire. J'étais satisfaite! C'était toute une expérience pour nous ce genre de magasinage. J'ai traversé ensuite la rue afin de me rendre à une autre boutique. Béa connaissait le rituel. J'y ai essayé un manteau, sous les yeux des passants, regardant mon reflet dans la vitrine du magasin. Il me semblait qu'il était de la bonne taille. Nous l'avons payé et nous sommes retourné à la maison.

Physiquement j'étais tellement différente que certains s'imaginaient que Béa avait une maîtresse! Hé bien oui, sa maîtresse c'était moi! C'est drôle ce que les gens peuvent penser! Je paraissais beaucoup plus jeune, les gens ne me reconnaissaient pas! J'étais surprise parce que certains jours, je me faisais reconnaître par des gens en leur disant: « C'est moi Denise qui vous faisait des suçons! »

J'ai été longtemps sous la surveillance de mon cardiologue. Il fallait me rendre à l'institut tous les quinze jours pour des examens de routine. Nous partions la veille au soir de chaque rendez-vous pour Montréal. Nous couchions chez Jeanne d'Arc. Béa, bien brave, après avoir fait déjà deux heures de route dans la journée, nous conduisait à Montréal pour mon bien-être. Je lui donnais quand même le temps de faire sa sieste après le souper. Je préparais ma valise dans laquelle je déposais une robe de chambre et... mes médicaments. Ces derniers étaient très importants, au cas où j'aurais des problèmes de santé en route. Les rendez-vous étaient fixés à huit heures le matin et je devais les respecter. Je devais être à jeun depuis minuit à cause de la prise de sang. Cette analyse était très importante pour voir si mes globules rouges et blancs étaient balancés. Ensuite, je passais un examen pulmonaire. Je pouvais par la suite me rendre à la cafétéria pour déjeuner. J'en profitais pour prendre mes médicaments. Jeanne d'Arc m'y rejoignait car Béa était retourné à son travail, il revenait me chercher à la fin de sa journée. Après mon petit déjeuner, j'allais me reposer chez Jeanne d'Arc. Encore une fois, je réalisais que j'étais chanceuse d'avoir ma belle-sœur. Elle me surveillait et me conseillait de me coucher un peu. Elle avait bien raison, ces examens m'énervaient beaucoup.

Je retournais à l'Institut à treize heures pour subir d'autres examens. Et ça recommençait! Je me rendais pour un électrocardiogramme. Je gardais ma jaquette car je passais ensuite directement au bureau du médecin. Il me fallait patienter dans la salle d'attente jusqu'à l'instant où garde

Nicole m'appelait. Tant de malades attendaient, inquiets, dans cette salle d'attente. Un des patients se pencha vers moi et me demanda: « Vous avez été greffée? » Je lui ai répondu avec un grand sourire: « Oui! » Les questions se multipliaient et je lui expliquais brièvement les étapes à passer. Tout à coup, je me sentais écoutée par tous. Un deuxième s'avança et me dit: « Ça fait huit mois que je suis sur la liste » Je n'osais pas lui dire que je n'avais attendu que dix jours. Je ne voulais pas le décourager. Mon cas était devenu prioritaire, je devais être opérée, c'est pour ça que tout s'était passé si vite. Je lui ai donné beaucoup d'espoir. Je lui dis que d'être sur la liste d'attente était déjà une bonne chose. « Soyez patients! » Moi, je l'avais été et maintenant, je ne regrettais rien. Je leur expliquais que j'étais heureuse et que je recommençais une nouvelle vie, en forme plus que jamais. Notre conversation a été coupée, car j'étais demandée par la garde Nicole. Avant d'être examinée par mon cardiologue, j'étais reçue par mes deux anges gardiens. Avec son sourire communicatif, la garde Nicole me faisait monter sur la pesée. Cinquante kilos. Elle semblait satisfaite. À l'époque où j'étais malade, mon poids n'atteignait que 44 kilos. Par la suite, elle prenait ma pression et parce que j'étais nerveuse, elle était toujours un peu élevée. J'étais craintive, j'avais peur que le médecin m'annonce des mauvaises nouvelles.

Mon nouveau cœur faisait son bout de chemin. Je devais m'habituer à mon nouveau rythme de vie, je devais apprendre à contrôler ce trop plein d'émotions. Pendant ce temps, la garde notait toutes les informations pertinentes dans mon bulletin. Je devais lui nommer le nom de mes médicaments et la quantité que j'avalais chaque jour. Toutes ces vérifications afin de s'assurer que je prenais les bonnes doses. Toutes les deux s'informaient de mes activités et de mes exercices. Je possédais un carnet illustrant les exercices que je devais exécuter quotidiennement. Il était capital pour le bon fonctionnement de mon cœur de faire ces exercices. La marche était obligatoire, je marchais trois milles par jour avec mon amie Jeannine. Elle était bien gentille de m'accompagner. Je lui parlais de mes inquiétudes... Nous avons développé une grande amitié. Tout mon bulletin était lu par mon cardiologue. Je traversais alors dans un autre bureau. J'étais contente d'être en face de mon cardiologue, c'était grâce à lui si j'étais encore en vie. C'est lui-même qui avait décidé qu'il était impératif qu'on me greffe au plus vite. Il me regardait sérieusement et il était très surpris de me voir si épanouie. Il écoutait les battements de mon cœur. Le résultat lui donnait de grandes satisfactions, encore plus que ce à quoi il s'attendait. Mon médecin était content de voir que j'écoutais ses conseils « à la lettre. » J'étais sur la bonne route. On m'a fixé la date de mon prochain rendez-vous.

De retour à la maison, j'étais toujours un peu fatiguée. J'avais déjà hâte au lendemain pour avoir mes résultats. Je me reposais et je gardais confiance. L'infirmière faisait bien son travail. Elle me rejoignait comme prévu par téléphone. Elle m'annonçait que tout était beau. Je raccrochais heureuse de savoir que tout fonctionnait à merveille.

J'ai dû changer mes habitudes de vie. Je devais m'occuper beaucoup plus de ma personne. J'étais à l'écoute de mon corps, car je ne voulais pas avoir de problèmes de santé. Je portais une attention spéciale à la prise de mes médicaments. Je devais faire en sorte de ne pas en manquer et d'en faire la demande à mon pharmacien une semaine à l'avance. Je ne devais pas attendre la pénurie. La ciclosporine est un médicament anti-rejet très important. J'avais de bonnes doses à prendre. Je trouvais que c'était beaucoup, mais je m'encourageais en me disant que la quantité allait baisser de semaine en semaine. Maintenant, lorsque je pars en vacances pour quelques jours, c'est très important que je prépare tous mes médicaments dans ma trousse de survie.

De jour en jour, je m'apercevais que je reprenais des forces. J'avais envie de recevoir ma sœur Margot pour un souper. Béa m'a alors aidée à cuisiner. J'ai toujours aimé recevoir, pour moi c'était une fête!

Mon fils François, m'a téléphoné pour m'annoncer la naissance de son garçon. Je passais à une nouvelle étape de ma vie. Nous étions le onze septembre 1995. J'étais grand-maman! J'avais tellement hâte de le prendre dans mes bras. Je lui chanterai une berceuse. Un de mes grands rêves venait de se réaliser. Je devais me préparer à assister à la cérémonie du baptême de mon petit-fils. Il allait s'appeler Alexis. Après la cérémonie à l'église, nous sommes allés dans un bistro réservé pour l'occasion. Je n'avais pas l'habitude de boire, mais pour la circonstance, j'ai pris un petit verre de vin blanc... à la santé d'Alexis. Les deux familles échangeaient, tous étaient très heureux de cet événement. Au coin de la salle, les cadeaux du bébé étaient présentés sur une table. L'odeur du buffet nous ouvrait l'appétit. Le premier gâteau d'Alexis avait la forme d'une bavette. La belle-famille de François était très chaleuse, il était facile de leur adresser la parole. J'étais questionnée à propos de ma greffe. Je suis toujours très émue lorsque j'en parle. Nous avons pris des photos de l'événement. Papi avait son plus beau sourire et Mamie tenait dans ses bras son trésor.

* * *

Ma santé s'améliorait de jour en jour. Nous avions reçu une invitation pour le 25ᵉ anniversaire de mariage de nos amis Hélène et Richard. C'était avec plaisir que nous avons accepté l'invitation. J'avais pris la décision de ne refuser aucune sortie. Je voulais prendre le temps de vivre. Béa et moi étions bien d'accord sur ce point. À Montréal dans l'Ouest, dans un endroit très chic, nous sommes débarqués pour la réception. À notre arrivée, Jonathan, fils des jubilaires, nous a dirigé dans le grand salon. Nos amis étaient resplendissants de bonheur. Ils avaient pris place sur une causeuse et avec les invités, ils écoutaient les talentueuses musiciennes de la famille Burrowes. Leurs symphonies étaient douces et charmantes. Tout en dégustant le cocktail de bienvenue, nous parlions à nos amis de longue date. La conversation s'est arrêtée, nous devions nous rendre à la salle à manger. L'odeur des bons mets planait dans la salle. Sur chacune des tables avait été déposé un ravissant pot de fleurs de la Malaisie. Ces fleurs allaient être notre prix de présence. J'espérais bien le gagner! Durant le repas, Jonathan et Yannick nous ont parlé de la grande générosité de leurs parents. C'était touchant de les entendre, ils livraient une belle preuve de reconnaissance envers leurs parents. Le repas terminé, c'était le moment du tirage. Croyez-le ou non, c'est moi qui ai gagné! J'ai pu conserver les fleurs durant un mois. J'ai gardé le pot en souvenir de cette formidable soirée.

Richard et Hélène ont été demandés pour ouvrir la danse. Nous étions tous invités à les accompagner. J'ai toujours aimé danser. Béa a compris vite que je désirais m'y joindre. J'étais assez alerte, même s'il y avait longtemps que j'avais dansé. J'étais émue de me retrouver dans les bras de Béa, et d'avoir retrouvé la santé. Mes rêves continuaient de se réaliser. Nous avions passé une belle soirée et Béa n'a pas eu besoin de me bercer pour que je dorme!

* * *

Les semaines ont passé. Nous étions rendus à l'Halloween. J'aime bien faire plaisir aux enfants du tour du lac où j'habite. Je leur avais préparé des sacs de friandises. J'ai eu l'idée de me déguiser en bouffon pour les accueillir. Pendant que je finissais de me préparer, j'ai entendu le son de la sonnette. Je me suis empressée d'ouvrir. J'ai eu la surprise de voir deux chers petits bouffons ayant sur la tête une perruque de la même couleur que la mienne! Nous formions le plus beau trio de bouffons. Sylvie, la mère des deux clowns, a ri un bon coup avec nous. Comme vous le constatez, la joie de vivre était à nouveau au rendez-vous! Maintenant, tous les événements du quotidien étaient des occasions de rire, de faire la fête et de vivre pleinement.

Ça bougeait beaucoup chez moi. Béa allait aux réunions des Chevaliers de Colomb où il avait fait la connaissance de monsieur Guy Parent. C'était un homme calme, intéressant et il parlait de tout et de rien avec Béa. Dès les premières rencontres, les deux avaient les mêmes idées ou presque. Sans perdre de temps, monsieur Parent est venu prendre un café à la maison, afin de mieux connaître Béa. Moi, ça m'a permis de rencontrer son épouse Hélène. Une femme élégante avec qui j'aimais converser. Quelques semaines plus tard, monsieur Parent avait trouvé le partenaire qu'il cherchait pour se lancer en politique... monsieur Parent se présentait comme maire et Béa comme conseiller. Ils ont donné beaucoup de leur temps pour la campagne qui a passé rapidement. Ayant déjà suivi un cours en science politique, Béa était prêt et bien positif. Pour moi, entendre parler de politique m'était familier. J'ai même travaillé à plusieurs reprises durant les élections. Je crois que tous les Moreau sont politisés! Mon beau-père Wilfrid a été maire durant vingt-cinq à Saint-Benoît de Packington, dans la région du Témiscouata. Je n'étais pas d'accord à ce que Béa présente sa candidature à titre de conseiller. Il avait déjà son travail quotidien et en plus, il devait m'aider à la maison. Je m'en faisais pour rien. C'est lui qui était au-devant de mes désirs. Il s'inquiétait beaucoup pour ma santé, même si tout allait bien. Il disait que je travaillais trop. Je lui disais que je devais bouger si je ne voulais pas rouiller.

La journée des élections est vite arrivée. J'ai demandé à mon chum d'en haut que le meilleur gagne. Mon désir fut réalisé. Béa n'a pas été élu. Ne pensez pas que je fais un jeu de mots, c'est bien monsieur Meilleur qui a été élu!

La retraite s'annonce et j'organisais la fête…

La retraite de Béa approchait. Que quelques mois de travail et il serait retraité. Nous avions toujours des projets rendant notre vie intéressante, mais j'avais hâte que Béa soit retraité. Je ne serais plus seule et j'allais me sentir plus en sécurité. C'est le trente novembre 1997 que Béa fêtait ses trente années de service. Sa retraite était bien méritée.

En déjeunant, j'ai eu l'idée de regrouper quelques amis pour un cinq à sept. Ensuite, nous allions nous rendre au restaurant pour souper. Je me mettais dans sa peau et je me disais qu'il avait sûrement envie de fêter ce grand événement. J'ai fait mes téléphones et tous étaient emballés de l'idée. Sans perdre de temps, j'ai préparé les salades, les pains farcis, les amuse-gueules. Je cachais mes plats dans le frigo. Je croyais que Béa arriverait à la même heure que d'habitude… J'avais installé un bouquet de ballons à l'entrée, quand tout à coup Béa est arrivé! J'ai ouvert la porte en lui disant sèchement: « Té ben de bonne heure! » Ce fut plus fort que moi. Il me dit d'un air surpris: « C'est super comme accueil! » Il ne savait pas encore que je lui préparais une surprise. Il a dîné et s'est couché un peu pour faire sa sieste. J'étais contente, je pouvais en profiter pour terminer mes plats et mes décorations. L'heure avançait bien vite. Je l'ai réveillé:

« Prépare-toi, nous allons souper au restaurant. » Pendant qu'il se préparait, son cousin René est arrivé avec Jeannine. Je leur avais dit d'arriver tôt afin de surprendre Béa... mais c'est lui qui nous a surpris! Il était étonné et content de voir René et Jeannine. Béa se questionnait parce que le carillon n'arrêtait pas de sonner. Ses amis arrivaient avec leurs cadeaux. Il a fini par découvrir que je lui avais préparé une fête. Ma caméra était prête pour les photos. Nous sommes tous passés au salon, ils étaient trois amis retraités: Jean-Paul, Pierre et Béa. Ses amis le taquinaient, car Béa n'avait dorénavant plus à se lever à cinq heures pour aller travailler... Peut-être seulement pour aller à la chasse ou à la pêche! J'avais une table bien garnie, les invités trouvaient que j'en avais fait beaucoup trop. On n'en fait jamais trop pour ceux qu'on aime. Après la soirée, Béa m'a remerciée et m'a dit, tout bonnement, que les deux plus belles journées de sa vie ont été la journée de son mariage et la soirée de fête pour sa retraite qui venait juste de prendre fin. Ce qu'il m'a dit m'a fait un petit velours. J'ai toujours tout fait pour qu'il soit heureux.

Je me disais que nous devions fêter sa retraite encore une fois et cette fois-ci, avec toute sa famille! J'ai passé l'hiver à préparer l'événement en cachette. Je notais dans un cahier mes idées et ce que je voulais réaliser. Je désirais engager un traiteur pour faire un méchoui à l'extérieur. C'était plus simple de cette façon, car je ne pouvais plus comme autrefois, préparer le buffet et assurer tout le service. Je voulais envoyer des cartes d'invitation à tous. Je devais trouver les adresses de tout le monde. Mon fils

Martin, qui est graphiste, a préparé des cartons d'invitation. Je devais aller rencontrer Martin pour lui remettre des informations qui allaient lui permettre de réaliser le carton. J'ai demandé à Béa: « Il faudrait aller souper chez Martin. » « Quand veux-tu y aller? », a-t-il rétorqué. Je lui ai répondu que samedi prochain serait parfait. Au courant de la semaine, j'ai préparé les documents à apporter chez Martin: le menu du méchoui et la photo de Béa prise récemment à son dîner de retraités. Chez Martin, pendant que Béa faisait la sieste, nous avons travaillé en cachette à l'ordinateur. Je trouvais que c'était beaucoup de travail, mais le résultat allait être remarquable. Les invités pourraient le conserver en souvenir. À l'intérieur se trouvaient toutes les informations pertinentes: le lieu, la date, le menu: quatre juillet 1998. Tout était réussi!

Martin m'envoya le produit final par la poste, quelques jours après notre rencontre. Je devais maintenant trouver une cachette pour ma boîte de cartes d'invitation. Un endroit secret... Un lieu inconnu de Béa... le fourneau du poêle à bois. J'étais convaincue que ma cachette était idéale, mais un soir il m'a dit: « Je vais allumer le poêle à bois! » Je l'ai regardé, surprise et je lui ai demandé de faire plutôt un feu de foyer. J'ai eu chaud! Le lendemain, j'ai vite changé ma cachette. La fête allait avoir lieu à la maison, au bord de l'eau. En cas de pluie, j'avais réservé le sous-sol de l'église. J'ai téléphoné pour louer vingt tables, deux cents chaises et une toilette chimique. J'ai dit au gérant que j'allais passer plus tard signer le contrat. C'était difficile de préparer cette fête à l'insu de Béa. Je devais aussi rencontrer mes amis Marielle et Claude qui allaient s'occuper de faire la musique. Quand le couple est arrivé, nous sommes descendus au sous-sol. Encore une fois, Béa faisait sa sieste: ça faisait bien mon affaire! Après avoir parlé du déroulement de la soirée, j'ai décidé de les engager. Plus tard dans la semaine, je suis passée à leur maison pour choisir la musique que je voulais entendre. En revenant de ce rendez-vous, Béa m'a demandé: « Où es-tu allée? » Je lui ai répondu: « ... dans les cantons ... » J'avais tout un fou rire, je ne savais pas trop quoi lui dire.

Les Moreau aiment la fête. Je devais acheter au moins six caisses de bouteilles de vin. Martin a pris soin de bien personnaliser chaque bouteille d'une étiquette originale « Vin de la retraite. » À la santé de Béa! Nos amis Hélène, Diane, Richard et Jacques ont décidé de donner un cadeau à Béa qui sortait de l'ordinaire. Diane me demanda: « Denise, as-tu une photo de Béa à la pêche? » J'ai cherché et j'ai vite trouvé la photo désirée. Sur la photo, Béa était assis dans sa chaloupe et se préparait pour la pêche. Avec l'image, les amis se sont occupés de faire confectionner un drapeau. C'était un drapeau géant avec Béa en plein centre sur lequel y était inscrit: « Béa, mets ta ligne à l'eau si tu veux en prendre un gros! » C'est une phrase célèbre que ses amis pêcheurs lui répétaient.

J'étais satisfaite de moi, le projet était sur la voie de la réussite. J'étais mon propre patron, c'est moi qui décidais de tout ce qui allait se passer à la fête. J'ai préparé des photographies de Béa, du temps de sa jeunesse et d'autres photos que j'ai fait agrandir. Avec l'aide de Christiane, une amie, j'ai monté un bel encadrement présentant le cheminement de vie de Béa. Martin s'est occupé de faire de grandes affiches présentant la même photo de Béa que l'on retrouvait sur le carton d'invitation.

La fête approchait à grands pas, à chaque jour je recevais des réponses positives. Je devais surveiller Béa pour ne pas qu'il aille chercher le courrier. Je téléphonais régulièrement au traiteur pour lui donner un nouveau nombre d'invités. Il m'a finalement dit: « Vous en ajoutez à chaque fois que je vous parle. Avez-vous invité la paroisse? » Il ne savait à quel point notre famille était unie. Nous avons toujours pris le temps de nous occuper de nos neveux et de nos nièces. Ces derniers nous aiment bien et ne pouvaient nous refuser l'invitation. Durant la semaine de la fête, j'ai cuisiné zdes plats pour nos invités. Je savais que certains arriveraient plus tôt.

Le traiteur me répétait souvent: « Vous faites le méchoui ici à la maison? » Moi, je lui répondais par l'affirmatif. Il ajoutait: « C'est une bonne idée au bord de l'eau, mais avec deux cents invités, c'est pas mal de monde! » J'ai dû me résigner à le fêter au sous-sol de l'église. La veille, un livreur s'est arrêté à la maison pour y déposer ma commande de tables et de chaise. Béa, qui était alors au courant de sa fête, mais non de son envergure, est allé à la rencontre du camionneur. Surpris par la quantité de chaises et tables, Béa lui a dit: « Tu fais erreur, ce n'est pas pour ici! » Je suis intervenue pour avertir le livreur que c'était bien pour nous! Béa regardait les vingt tables, les deux cents chaises, la toilette chimique... Il m'a dit: « Es-tu malade? C'est pour au moins deux cents personnes! » Le sourire en coin, j'ai dû lui annoncer que nous avions deux cents invités! Il a tout d'un coup réalisé qu'il allait être fêté en grand. Il clignait de l'œil et s'est assis dans la balançoire avec un bon cognac.

Les amis soufflaient les ballons pour la décoration de la salle. Les grandes affiches de Béa ont été collées aux murs et l'encadrement souvenir déposé à l'entrée. J'ai expliqué à mon traiteur l'emplacement des tables et de la table d'honneur. Il m'a confié que c'était la première fois qu'il voyait quelqu'un prendre sa retraite et être fêté de cette manière. Pour moi, c'était un autre rêve qui se réalisait enfin. J'étais au septième ciel! La journée a passé vite. C'était déjà l'heure de se rendre à la salle pour fêter. En tournant vers l'église, j'ai aperçu monsieur Parent qui s'occupait du stationnement. Tous les invités étaient arrivés, installés et prêts à accueillir Béa.

Nous sommes entrés dans la salle sous une pluie d'applaudissements. Béa était surpris de voir autant de monde. « Ce n'est pas ici! », m'a-t-il dit. Je lui ai conseillé d'avancer... J'avais peur qu'il fasse une crise cardiaque. Encore une fois, j'étais heureuse de créer du bonheur, mais je ne voulais pas qu'il meurt dans mes bras! J'étais heureuse de me retrouver avec les familles Cormier et Moreau, qui avaient bien accueilli l'invitation. Nous avons été à la table d'honneur les premiers à être servis. Tout à bien été préparé par le bon chef Gaétan. Il ne manquait de rien et plusieurs plats étaient gardés en réserve. Je m'attendais à ce que la famille mange beaucoup.

Durant le repas, les amis de Béa ont présenté leur drapeau. C'était toute une surprise pour Béa. Puis ils ont enchaîné avec des histoires de pêche. L'adresse que j'ai composée a été lue immédiatement après par monsieur Parent.

Cher Béa, te souviens-tu lorsque tu nous disais: « Si je peux prendre ma retraite dix années avant le temps! » Je crois que c'était un fardeau pour toi de te lever à cinq heures afin de te rendre au travail. Il a poursuivi: « Avec ta bonne volonté, tu as terminé tes années. Béa, tu en as vu de toutes les couleurs en étant sur la chaîne de montage... Ça prend un homme costaud pour faire des autos! Tu as avancé graduellement vers ta trentième année et tu as été nommé *Docteur Poussière*! L'œil précis, zéro défaut était le slogan. Maintenant, c'est la retraite. Tu continues ta carrière de docteur, les gens trouvent que tu opères et ils ont bien raison. Bientôt c'est l'urgence: un toit qui coule, la patte d'un meuble fêlée, un bras cassé... Avec tout ton savoir, tu prends ça à cœur. Tu répares presque tout. Tu es un homme habile! Béa, tu es un homme exceptionnel que nous fêtons aujourd'hui. Comme tu pries le petit Jésus à haute voix, demandons-lui à notre tour qu'il te donne la santé et le bonheur tout au long de ta retraite. Béa, nous t'aimons, c'est pour cela que nous sommes tous ici pour fêter avec toi. Avec tout notre amour, ta famille et tes amis. xxx » Mon homme était alors très émotionné!

Le souper terminé, c'était au tour de la danse. Sans hésiter, tout le monde est allé danser. Tout le monde balance et tout le monde danse. Il y avait de la musique pour tous les goûts. Nous avons passé une belle soirée. Durant la fête, un contrôleur m'a demandé si la police surveillait... Vu le nombre d'invités... Je lui ai dit que nous n'avions jamais eu de problème, que nous étions ici pour s'amuser et non pour se chicaner... Mais durant la soirée, la police est tout de même venue faire des tours. Vers deux heures le matin, nous avons fermé les portes. Des motels avaient été réservés pour les Moreau.

Le lendemain, je les attendais tous pour un brunch. C'était une belle matinée. Nous avons servi une centaine de déjeuners. J'ai eu beaucoup d'aide de mes neveux et nièces... C'est beau la vie! Je n'oublierai jamais cette fête, j'étais heureuse de l'avoir aussi bien réussie!

Béa est retraité, quel bonheur!

Béa était retraité, mais il ne fallait surtout pas s'ennuyer et perdre notre temps. Nous commencions une nouvelle vie de couple! Nous allions être ensemble vingt-quatre heures sur vingt-quatre. J'avais l'intention de commencer à pêcher avec Béa. Il n'est jamais trop tard pour apprendre. Nous avons alors préparé un petit voyage de pêche pour pêcher le doré. Prêts pour notre voyage, nous sommes partis à l'aventure. La ligne à la main, bien assise dans la chaloupe, j'attendais patiemment mon poisson. Je fredonnais une petite chanson aux vertus magiques:

« Mordez, mordez petits poissons! » Le ciel était d'un bleu azur et c'était très calme. Le soleil nous accompagnait avec ses reflets sur le lac, c'était magnifique. J'ai eu une sensation étrange: ma ligne était tout d'un coup plus tendue. Il se passait quelque chose... Je pensais avoir un poisson au bout de la ligne. Béa me regardait d'un air interrogateur. J'ai ramené ma ligne. « Fais attention! », me disait-il. Béa a déposé la puise à l'eau et a attrapé le beau doré. C'était ma première pêche et elle a duré six heures. De la patience, ça en a pris! J'ai enfin connu les jouissances de la pêche qui m'étaient jusqu'alors inconnues. Prendre le poisson, le photographier et le déguster avec celui que j'aime. Depuis cet événement, j'apprécie encore plus les histoires de pêche!

Ce que je ferai...

La santé revenue, j'avais l'intention de profiter de la vie, tout en restant raisonnable. Je me suis permise d'aller à la chasse avec Béa, mais seulement pour l'accompagner. Je ne voulais pas tenir de fusil, je me suis contentée de respirer l'air pur de l'automne. J'aimais marcher dans les bois, là où il y a tant à découvrir. J'entendais des cris de perdrix, ce qui me rappelait, qu'il m'en faudrait bien une pour ajouter à ma chaudronnée de fèves au lard. De loin, je surveillais Béa et j'écoutais les bruits de feuilles que j'écrasais tout au long de ma marche. Je remerciais le créateur pour les joies qu'il me donnait. Le coucher du soleil était d'une beauté à faire rêver. L'heure était arrivée de retourner à notre chalet de chasse. J'étais satisfaite de ma journée, car j'avais pris le temps de vivre.

Le bonheur est fait de petits riens!

Cette année, j'ai reçu une carte de « Bonne fête grand-maman », toute spéciale à l'occasion de la fête des mères. Elle était extraordinaire parce que c'était mon petit Alexis qui me l'avait donnée. Sur la carte se trouvait un gros tyrannosaure, la bouche grande ouverte qui disait: « Grand-maman, tu es drôlement dégourdie! De ton petit Dino, Alexis. » C'est avec beaucoup d'émotion que j'ai reçu cette carte. J'aimais voir ce petit bout, grand comme trois pommes, très éveillé pour ses quatre ans. Il s'intéressait à tout, il me posait mille et une question. Ses grands yeux de couleur pers brillaient. Je crois qu'il ira bien loin dans la vie.

En regardant le lac, il aimait bien parler de poissons avec son Papi. À son anniversaire, voyant son intérêt pour la pêche, nous lui avons acheté une véritable canne à pêche. Pour qu'il se souvienne de son quatrième anniversaire de naissance, nous avons pêché ensemble. Professeur Papi lui expliquait les rudiments de la pêche. En un tour de main, il a compris et a fait des beaux lancers. Assis dans la chaloupe, il dit à Papi: « Papi, je suis content de ma canne à pêche! » Puis il ajouta: « Où est le poisson Mamie? » Mamie lui a expliqué que le poisson était dans l'eau profonde et qu'il fallait être patient... Nous avons pêché pendant une heure, mais sans voir le moindre poisson. J'ai malgré tout photographié mon petit pêcheur. « Notre pêche miraculeuse, c'était pour une prochaine fois! » Le lendemain, il m'a demandé de jouer au ballon avec lui. Je ne pouvais le lui refuser. Installés sur la pelouse, je l'ai averti de ne pas envoyer le ballon en direction du lac. Il faisait des gros efforts pour que le ballon arrive jusqu'à moi. Parfois le ballon se rendait dans mes fleurs. Il me regardait d'un air apeuré… Je lui disais alors de ne pas recommencer. J'étais heureuse de pouvoir jouer avec lui. Ses éclats de rire me faisaient du bien. Après avoir terminé notre jeu, nous partagions un bon jus. Par la suite, il désirait jouer au restaurant. Je me disais à moi-même que je n'avais pas les accessoires voulus. Assis à la table de pique-nique, c'était incroyable de voir toutes les idées qui passaient dans sa petite tête. Il s'imaginait mangeant des frites… Et en plus, il me demandait si j'en voulais! Je trouvais ça bien drôle. Il m'a regardé et m'a dit: « Je t'aime Mamie! » Je l'ai entouré de mes bras en le pressant contre moi. Je lui ai dit: « Moi aussi je t'aime mon trésor. » Mon petit Alexis, c'est un amour. J'espère que mon cœur battra encore longtemps pour lui.

Des amis

Béa et moi parlions de nos projets et de nos ambitions. Nous avions l'intention de nous joindre au Club de l'âge d'or. J'aime rencontrer des personnes plus âgées que moi: j'apprenais beaucoup en les écoutant. Sans hésiter, je me suis rendue chez mon amie Jacqueline et je lui ai payé nos deux cotisations. Nous faisions maintenant partie du Club. Malgré notre air de jeunesse, nous étions maintenant bienvenus de participer à leurs soirées. Les membres du conseil avaient un certain intérêt envers nous, car un de leurs conseillers allait démissionner dans quelque temps et il fallait qu'il le remplace. Leurs yeux étaient fixés sur Béa.

Durant la soirée, nous avons eu beaucoup de plaisir. Béa a été demandé pour devenir conseiller et il a accepté. En pleine forme, Béa était prêt à faire du bénévolat. Comme il porte si bien son nom (B.A.), ce qui signifie « Bonne action. » Ses amis l'appellent tous B.A., c'est bien chaleureux. En peu de temps, nous avons rencontré de nouveaux amis. Nous étions fiers de nous impliquer avec des personnes aussi attachantes. Nous avons participé à plusieurs voyages organisés, c'était de vraies vacances et nos journées étaient bien remplies. C'était un plaisir que de donner de son temps pour les aînés. Le fondateur de ce club est génial, car les aînés sont souvent oubliés.

Pour que le club fonctionne bien, il faut un bon président. J'ai eu le plaisir de le connaître, il se nomme monsieur Jacques Dupras. C'est une personne généreuse, il ne calcule pas le temps qu'il donne aux aînés. Il est très heureux de voir que les aînés sortent de leurs coquilles en prenant part aux activités organisées. En s'impliquant, ces personnes oublient qu'elles avancent en âge et pensent moins à leurs bobos.

À toute vapeur

Je suis satisfaite du chemin parcouru depuis ma transplantation. Mes forces sont revenues et mes formes aussi… C'est incroyable! Je visite ma famille qui demeure aux quatre points cardinaux. Hier, c'était pour une fête de réjouissances et demain, ce sera une mortalité avec beaucoup de chagrin et d'émotion. Le détachement est un des mots qui me fait mal, car j'aime beaucoup et je m'attache à mes proches. Avec tout mon courage, j'accepte ce que m'apporte la vie et je m'accroche encore plus à elle.

Si je suis encore sur la terre, c'est parce que j'ai une mission à remplir. Je continue de mon mieux à aider ceux qui sont en détresse. Je suis très sensible, je pleure souvent avec la personne qui est triste. Je voudrais tellement que tout le monde soit heureux. Mais pour certains, où est le bonheur? Le bonheur est parfois tout près de nous, mais nous le cherchons de l'autre côté du chemin.

Puis les années ont passé, quatre ans déjà se sont écoulés. J'ai eu la chance d'être soutenue par mon Béa jour après jour. Je sens que je suis d'une grande importance pour lui. Il surveille mon poids et il me demande si j'ai fait ma randonnée.

Encore aujourd'hui, mon P'tit blond me demandait: « As-tu pris tes médicaments? »

Quelques faits sur le don d'organes

Je suis une femme bien ordinaire, mais je me sens privilégiée d'avoir reçu ce don de vie. J'en remercie encore mille fois la famille. J'aimerais vous communiquer quelques renseignements au sujet des dons d'organes.

Quels organes peut-on donner?

Parmi ceux le plus souvent greffés, mentionnons les reins, le cœur, les poumons, le foie et le pancréas, les valvules cardiaques, les os, la peau et la cornée. Les organes d'un seul donneur peuvent êtres transplantés chez plusieurs personnes.

Y a-t-il un âge limite pour donner ses organes?

Il n'y a pas d'âge limite au don d'organes. On peut effectuer un prélèvement ou une greffe d'organes chez des personnes de tout âge. On doit toutefois obtenir le consentement écrit des parents avant de prélever des organes chez un enfant de moins de 14 ans.

Fera-t-on tous les efforts voulus pour sauver la vie d'une personne qui a accepté de faire don de ses organes?

Tout à fait. La responsabilité première de l'équipe médicale est de prodiguer au patient les meilleurs soins possibles. Si le patient décède malgré tous les efforts déployés, deux médecins ne participant ni au prélèvement ni à la greffe d'organes doivent d'abord déclarer la mort cérébrale (arrêt des fonctions du cerveau) avant que l'on procède à la récupération des organes.

Comment attribue-t-on les organes?

On les attribue à partir d'une liste UNIQUE, suivant la compatibilité entre le donneur et le receveur. Par ailleurs, l'achat ou la vente d'organes sont interdits par la loi.

Est-ce que le donneur d'organes peut être exposé?

Oui. Les organes sont prélevés par l'équipe médicale qui s'assure que tout se déroule dans le respect de la dignité humaine et veille à ce que l'apparence de la personne n'en soit pas affectée. La personne peut donc être exposée.

Y a-t-il des frais liés au don d'organes?

Il n'y a aucun frais lié au don d'organes de même qu'au transport du donneur.

N.B.: Il est très important de signer et de coller l'autocollant de don d'organes au verso de votre carte d'assurance maladie, dans la partie supérieure. Ces autocollants sont disponibles dans tous les CLSC, les centres hospitaliers et auprès des organismes membres de Info Don d'organes. **IL EST TRÈS IMPORTANT D'INFORMER LES MEMBRES DE VOTRE FAMILLE DE VOTRE DÉCISION.**

Les personnes en attente d'une greffe mènent une course effrénée contre la montre. Leur survie dépend d'un don d'organes! Vous pouvez toutefois y changer quelque chose… en devenant donneur d'organes.

Ces informations sont tirées d'un dépliant qui a été produit en collaboration avec Info Don d'organes, Québec-Transplant et la Régie de l'assurance maladie du Québec.

Prière

Pour obtenir la canonisation de la Bienheureuse
Mère Marie-Rose, voici une prière.

« Nous te demandons Père très bon de manifester par des signes extraordinaires la sainteté de ta fidèle servante: Mère Marie-Rose. Que par la canonisation, L'Église entière la proclame et l'invoque comme un modèle de vie évangélique. Souviens-toi des vertus héroïques auxquelles sa mission de fondatrice l'a appelée, de son zèle pour l'éducation chrétienne, de sa piété envers Jésus et Marie. Souviens-toi du grand amour pour toi, Père très bon et daigne nous accorder les faveurs que nous sollicitons par son intercession. Amen. »

Les personnes qui obtiennent des faveurs attribuées
à Mère Marie-Rose sont priées d'adresser leurs récits à:
Centre Marie-Rose
1420, Boulevard Mont-Royal
Montréal (Québec)
H2V 2J2.

Témoignage d'une amie

Ma chère Denise,

C'est un chef-d'œuvre ce livre
Que tu nous livres
Avec ce cœur transplanté
Pour nous émerveiller

Avec ce cœur d'un autre monde
Denise, tu en a fait ton monde
Avec cette transplantation
Pour toi, c'est une grande révolution

Du fond de mon jeune cœur
Je me fais la porte-parole
de tous ceux qui ne te feront pas l'obole
D'un merci, pour ce livre qui a tant de valeur

Chère Denise, tu es une grande dâme
À chaque occasion, je le proclame
Et tu ne cesses de m'émerveiller
Pour ton amour de la vie, qui est illimité

Tu as une foi de vivre
Qui a chaque instant m'enivre
Et c'est avec justesse, que cette constatation
Me remplit d'allégresse et d'admiration

J'espère que Dieu conservera ta santé
Pour pouvoir continuer à mettre sur papier
Tout ce que contient ce cœur
Rempli de bonheur et d'ardeur

Ton admiratrice, Bien-Aimée
Auteure de 84 ans

Remerciements

Je tiens à remercier ma famille pour les encouragements. Mes amies de toujours, encore merci à vous. Je remercie mes fils François et Martin (leurs conjoints et conjointes) qui ont dactylographié et mis en pages le document de ma biographie. Un merci tout particulier à Madame Aimée Lapointe pour la confiance témoignée. Merci à André Asselin, Josée Gagnon, Nathalie et Vincent.